VOYAGE EN INDE AVEC UN GRAND DÉTOUR

LOUIS GAUTHIER

Voyage en Inde
avec un grand détour

FiDES

Illustrations : Normand Cousineau
Direction artistique : Gianni Caccia
Mise en pages : Yolande Martel

Catalogage avant publication de Bibliothèque et Archives Canada

Gauthier, Louis, 1944-

Voyage en Inde avec un grand détour

Publ. antérieurement sous les titres : Voyage en Irlande avec un parapluie.
Montréal : VLB, 1984 ; Le pont de Londres. Montréal : VLB, 1988 ; et,
Voyage au Portugal avec un Allemand. Saint-Laurent, Québec : Fides, 2002.

ISBN 2-7621-2649-5

I. Titre. II. Titre : Le pont de Londres. III. Titre : Voyage en Irlande
avec un parapluie. IV. Titre : Voyage au Portugal avec un Allemand.

PS8563.A86V692 2005   C843'.54   C2005-940233-4
PS9563.A86V692 2005

Dépôt légal : 1ᵉʳ trimestre 2005
Bibliothèque nationale du Québec
© Éditions Fides, 2005

Les Éditions Fides remercient de leur soutien financier le ministère du Patrimoine
canadien, le Conseil des arts du Canada et la Société de développement des
entreprises culturelles (SODEC).

Les Éditions Fides bénéficient du Programme de crédit d'impôt pour l'édition
de livres du Gouvernement du Québec, géré par la SODEC.

IMPRIMÉ AU CANADA EN MARS 2005

Voyage en Irlande
avec un parapluie

S'il est vrai que l'inaction est toujours une chose insupportable, imaginez à quel point elle peut travailler le cerveau d'un homme qui a les pieds mouillés.

CAPITAINE W. E. JOHNS

1

IL EST QUATRE HEURES de l'après-midi et les bars sont fermés. De gros nuages blancs roulent très vite sur le ciel bleu. Il fait froid, je marche dans les rues désertes à la recherche d'un endroit où déposer mon sac. C'est une espèce de sac de soldat, un cylindre mou en grosse toile avec des poignées de cuir au milieu et une courroie pour le porter sur l'épaule. Ceux des soldats sont kaki ; le mien est bleu. Je l'ai acheté juste avant de partir. Après y avoir mis mon sac de couchage, je me suis aperçu qu'il ne contenait presque rien d'autre.

Le village est situé au sommet d'une petite falaise. D'un côté, une longue route en pente descend jusqu'au quai. Le paysage est large et le regard porte loin, sur la terre et sur la mer. Il vente, le temps change vite. Derrière les nuages blancs, de gros nuages gris au ventre noir apparaissent. Ici et là, des trouées de ciel bleu, de plus en plus rares. Sur la mer, des vagues courtes, avec des crêtes moutonnantes. Dans le village, personne. On le croirait abandonné. Je descends jusqu'au quai pour vérifier l'heure du traversier. Il commence doucement à pleuvoir, des gouttes très fines, à peine perceptibles.

Le traversier ne partira que demain. En marchant sur la plage, je croise deux touristes françaises et nous jasons un peu, les pieds dans le sable, abrités sous le porche d'un petit bâtiment de pierre, à l'usage des baigneurs sans doute, fermé en cette saison. Puis je remonte la côte sous la pluie qui augmente tout à coup. Avancer pas à pas n'a rien d'héroïque mais il n'y a pas d'autre solution. Je serai trempé, tant pis. La marche permet de bien apprécier les distances. Le cerveau panique un peu au début, puis se calme. Pas moyen d'aller plus vite, de toute façon.

Toutes sortes de pensées traversent mon esprit : si Jésus-Christ m'apparaissait maintenant, incarné, en chair et en os, et s'Il n'était pas plus sympathique que ça, qu'est-ce que je ferais ? S'Il n'était pas ce grand barbu aux cheveux longs avec une bonne gueule, mais plutôt petit, rondouillet, avec un air d'agent d'assurances ? S'Il me disait : viens et suis-Moi ? Je me souviens d'une image que j'avais reçue quand j'étais petit, une *image sainte* comme on disait. Il y avait ce Christ au visage douloureux et en même temps si merveilleusement doux, tragique et séduisant, et dessous, à l'encre rouge, cette phrase : *Que ferait et dirait Jésus à ma place ?* Pendant des semaines, je m'étais posé cette question à propos des choses les plus insignifiantes. Jésus à ma place aujourd'hui avancerait pas à pas avec l'eau qui Lui dégouline dans le cou et les mèches de cheveux mouillés collées sur le front, mais surtout jamais Il ne se serait mis, Lui, dans une situation pareille. Jésus, le Christ : l'influence du témoin de Jéhovah persiste. Mais pourquoi ne m'a-t-il pas invité à la Salle du Royaume ? À dormir chez lui comme un pauvre chrétien ?

Personne sur la route et je ne peux rien faire d'autre que marcher, avec le sentiment de plus en plus net de ne pas être un héros de roman, juste un pauvre être humain aux prises avec la vie et la platitude, à moins que les héros ne connaissent aussi ces moments dénués de toute grandeur où il faut simplement avancer pas à pas et remonter la pente de son propre désespoir. L'air est bon et la pluie réveille, mais il n'arrive rien, rien ne se passe, et dans ma tête le paysage s'abîme en mots et sa gloire se dilue dans un insoutenable sentiment de vide et d'inutilité.

Maintenant il est cinq heures et les bars ne sont pas encore ouverts : ici, les lois sur l'alcool sont plutôt restrictives. Je m'emporte contre ce village trop joli et peu accueillant, ces maisons de pierre propres et inhabitées, ces vies rangées où il n'y a pas de place pour l'imprévu. Je veux m'asseoir au chaud quelque part et prendre une bière, je ne sais pas faire autre chose vers cinq heures de l'après-midi, quand la journée s'allonge un peu trop, quand le silence devient un peu trop lourd à porter, que d'entrer dans un bar et laisser doucement les souvenirs m'envahir, me raconter ma vie comme on la raconterait pour la postérité et inventer, si par hasard j'ai le vin gai, des folies que personne ne saura jamais. Je suis seul, je ne veux parler à personne, pourtant à qui est-ce que je parle ainsi sans arrêt...

❖

C'était à Fishguard, en plein pays de Galles, avant de prendre le bateau pour l'Irlande. Le témoin de Jéhovah m'avait emmené depuis Cardigan, plus au nord sur la côte, où je faisais du stop à la sortie du village, au bord d'une route encaissée par des remblais de terre meuble et protégée par des haies de saules battues par le vent. Il faisait froid, des averses de temps à autre me forçaient à ouvrir mon parapluie que les bourrasques tiraillaient. La route était déserte, je ne trouvais pas d'endroit pour m'abriter. Les rares autos me filaient sous le nez. J'étais bien content que celle-là s'arrête. Un petit dimanche matin pluvieux, une bonne petite journée pour rester bien au chaud à lire près du poêle en fumant sa pipe pendant que les enfants s'amusent dans un coin. Qu'est-ce que je faisais là sur la route ? Je raconte encore une fois mon histoire : l'envie de voir le monde, le besoin de bouger, le goût de sortir de la routine. Des choses vagues, plausibles, pour tâter le terrain. Les vraies raisons, je ne les dis jamais tout de suite ; seulement si la situation s'y prête. Pour chacun, j'ai une petite version différente, personnalisée, adaptée aux circonstances. Celui-ci m'énerve. Je n'aime pas sa tête, son visage rondelet aux traits mous. Il a trente-deux ans, le même âge que moi. Il a l'air d'avoir dix ans de plus et me parle avec suffisance. Oui, oui, il a voyagé lui aussi, un jour avec son épouse il est allé jusqu'en France. La Bretagne, la Normandie, Paris. Ce n'est vraiment pas la peine. Rien n'est aussi beau que son coin de pays, d'ailleurs plusieurs touristes lui en ont fait la remarque. Il y a la mer, il y a les montagnes, le soleil l'été, parfois un peu de neige en hiver, il y a la plage, la campagne, et la ville qui n'est pas si loin. La ville, c'est Swansea, mais Swansea ou Paris, c'est toujours la ville. Inutile de courir le monde. Il me cite la Bible, le chapitre exact, le verset. La Bible dit qu'il faut rester chez soi, surtout si on a le bonheur d'habiter Fishguard, et s'occuper du salut de son âme.

J'allume une cigarette. Il me fait gentiment remarquer que le corps est le temple de Dieu. Lui ne fume pas, il ne boit pas non plus. Je regrette de ne pas avoir un petit dix onces de Southern Comfort dans mes poches. Je n'aime pas qu'on me fasse la morale. La morale, je l'ai dans le sang. Chaque fois que je bois, elle me remonte au cerveau, claire, précise comme un plan, avec ses interdits, ses commandements, ses paradoxes. Oui, je suis un mauvais chrétien, le Christ n'est-il pas venu pour sauver les pécheurs ?

Je regarde le paysage, les petites affiches qui nous promettent Fishguard dans quinze, dans dix milles. Dans huit milles. Oui, la religion m'intéresse. D'ailleurs, je suis présentement sur la route de l'Inde. Le bouddhisme, le vedânta, le zen, tout ça. Il me regarde du coin de l'œil, comme si je n'étais pas sérieux. Le bouddhisme ? De pauvres gens qui crèvent de faim pendant que leurs vaches sacrées sont adorées comme des dieux ?

Nous en sommes à passer en revue les différents animaux de la Bible, ânes, chameaux, cochons, bœufs, et le comportement à adopter à leur égard, lorsque nous arrivons à Fishguard. Je descends sur une petite place déserte et mal réveillée. Mon bon samaritain m'abandonne en vitesse car il se rend à la Salle du Royaume entendre la Bonne Parole au milieu de ses frères, sauvés comme lui. J'aurais aimé qu'il m'invite à les rejoindre, mais je sais bien que j'en suis indigne. Tant mieux, ça m'évitera de finir baptisé par immersion au fond d'un bénitier géant.

2

J'ÉTAIS PARTI de Montréal dix jours plus tôt. Là-bas aussi il pleuvait, c'était la mi-novembre, les rues étaient presque désertes, les rares passants se cachaient dans leur imperméable, relevant leur col, inclinant leur parapluie noir, anonymes dans la nuit. Nous marchions tous les trois dans le froid humide et désagréable qui nous enveloppait comme un drap mouillé. Je ne me souviens de rien de précis, je me souviens seulement de nous trois, Angèle, Paul et moi. Quelle importance… Paul parlait de Londres, du peuple anglais qui était bien, après tout, un des plus civilisés de la terre, il racontait sa vie dans les hôtels là-bas, les sommes fabuleuses qu'il avait dépensées. Angèle et moi ne parvenions pas à nous rejoindre. Ce n'était pas la première fois. Il ne restait presque plus rien entre nous que le souvenir d'un éblouissement tel que nous ne voulions pour rien au monde risquer de dire quoi que ce soit qui aurait pu nous en faire douter. Tout cela devait rester tacite, comme si quelqu'un qui nous avait été très cher était mort et qu'il fallait éviter d'en évoquer le souvenir, ce souvenir qui pourtant était tout ce qui nous unissait. Nous avions changé, l'un et l'autre, chacun à notre façon, et cela nous éloignait de ceux que nous avions été.

Angèle semblait préoccupée, elle jetait des regards tout autour d'elle dans la salle du restaurant où nous nous étions finalement attablés, buvant du vin rouge.

— Comment va l'écriture ? demanda-t-elle tout à coup.

Je répondis que je n'écrivais plus, que je ne voulais plus écrire, qu'il n'y avait plus que le silence qui me satisfaisait. Je prétendis que la littérature était une maladie, ruineuse pour l'organisme, dangereuse pour la société, inutile pour la vie et malsaine à sa source. Angèle se moqua de moi. Paul affirma que j'écrivais en cachette, que je prenais des notes le soir en rentrant à la maison. J'exposai ma théorie du moment : la vie était une fiction, de toute manière. La réalité ne nous concernait pas. La réalité concernait la matière et l'esprit et nous étions entre les deux, nous étions à la fois les créateurs de la fiction humaine et ses produits. La littérature, si on ne trichait pas, ne pouvait que conduire au silence.

Plus tard, Angèle dit qu'elle aurait aimé partir elle aussi. J'en eus un pincement au cœur et j'éprouvai, un court instant, une immense envie de lui dire : « Viens avec moi, recommençons. » Mais cela faisait partie des choses qu'il ne fallait pas dire. On ne recommence jamais. Elle soupçonna peut-être la pensée folle qui m'avait un instant traversé l'esprit. Mais l'Inde ne l'intéressait pas. Elle pensait à l'Italie, à la Grèce, à la Méditerranée, à ces pays pleins de douceur où la vie n'est pas remise en question mais simplement reçue comme un bienfait.

J'avais encore envie de partir, j'avais autant envie de rester. Pas de doute, nous étions bien, à parler ainsi sans urgence, à manger et à boire, et cela aurait pu recommencer soir après soir, cette belle vie si comestible que j'avais l'impression de me nourrir de l'âme même de mes amis, bercé par l'alcool et ses grandes vagues chaleureuses. Pourquoi est-ce que j'en avais assez de tout cela ? Qu'est-ce qui me manquait ? Je n'arrivais pas à le dire.

◈

L'autobus Greyhound s'enfonce dans la nuit et les problèmes québécois commencent à perdre de leur importance. Néons des stations-service sur le ciel au bout de leurs mâts d'acier, champs sombres, forêts noires, et toujours, dans la vitre fumée, le reflet obsédant de mon propre visage superposé partout au paysage, avec des yeux qui m'observent. Dans le confort ronronnant de l'autobus, ils cherchent la raison d'être de cette présence, ils guettent les effets de ce paradoxal désir de soumission : vouloir ne pas vouloir. Vouloir s'en remettre au destin, avoir choisi librement de s'en remettre au destin, avoir voulu être là, prisonnier à l'intérieur d'un autobus, emporté sans défense, à la merci des humeurs et des réflexes d'un chauffeur inconnu, moyen, neutre, avoir voulu que cela puisse être, surveiller par la fenêtre une nuit américaine qui déjà vibre autrement, comme un corps étranger, une nuit plus nerveuse, ou bien c'est la conscience du voyageur lui-même qui déjà vibre autrement parce qu'elle sait bien, la conscience, ce qui va lui arriver à ce petit jeu, à sauter les frontières, à changer les codes, et elle résiste, elle fait bien de résister.

◆

Dans la petite pluie grise de novembre, un arrêt vers trois ou quatre heures du matin, encore quelques heures de mauvais sommeil, la blancheur crayeuse de l'aube, laiteuse et tiède, des nœuds de plus en plus compliqués d'autoroutes, tout à coup pendant quelques secondes la silhouette irréelle des gratte-ciel, puis un tunnel sous l'Hudson River, les garages souterrains de la Port Authority Bus Terminal, l'autobus s'arrête avec un soupir et le moteur se tait.

New York. Je n'ai pas traîné longtemps à New York, j'ai mal dormi, je suis fatigué, je ne parviens pas à trouver les renseignements que je cherche. Regards agressifs, gestes brusques, rien n'arrive comme je l'avais prévu, tout se complique et je me dis que j'aurais mieux fait de rester chez moi, me réveiller doucement dans un grand lit propre avec une belle fille rieuse et continuer la vie facile de tous les jours. Il faut dire qu'à New York c'était le *Thanksgiving Day.* Les bureaux de Lakers Airlines étaient fermés, les restaurants étaient bondés à cause du défilé et le téléphone public refusait d'accepter mes pièces de monnaie canadienne de sorte que je pensais que même les machines étaient contre moi.

Mais quelques heures plus tard les choses s'arrangent ; mon billet d'avion en poche, je reprends vie. Assis dans un bar tranquille, je bois une bière avec une nonchalance étudiée de grand voyageur. L'unique cliente, une blonde dans la cinquantaine, interrompt son échange de potins avec le barman pour engager la conversation avec moi. Je mets les choses au plus beau : je suis écrivain, je pars le soir même pour l'Inde via l'Angleterre, six mois d'aventures parmi les gourous, les parias, les maharajahs et les éléphants aux parures d'or et de pierres précieuses. Elle me regarde avec des yeux pleins d'envie : elle a toujours rêvé d'écrire ! Cent fois j'ai entendu des gens me dire la même chose, ça paraît tellement bien, écrivain, quand on ne sait pas ce qu'il y a derrière, les pages reprises dix fois, le manque d'argent, les découragements, les milliers d'heures de travail, les incertitudes, l'anonymat, l'insécurité, l'incompréhension. Mais pour ne pas détruire la belle image, je me contente de lui dire que je suis sûr qu'elle serait capable d'en faire autant si elle s'y mettait, et pour l'amuser je lui suggère d'écrire un livre sur les pays qu'elle n'a jamais vus, le Népal, le Tibet, le Cachemire. J'aime la sonorité de ces mots dans ce bar déserté de Queen's et j'espère que ça la fait rêver. Nous échangeons encore quelques phrases, puis je la quitte, rassuré sur moi-même. *Good luck, take care*, elle est sûre que j'écrirai un beau livre et moi je suis content d'avoir pu parler à quelqu'un aujourd'hui.

« PROPULSÉS par les turboréacteurs, nous déchirons le ciel dans son droit fil, au-dessus des nuages, des mers et des littératures. » Je recapuchonne mon stylo bic et retourne la carte postale achetée à l'aéroport pour contempler encore une fois les couleurs criardes de Times Square. Le soleil brille dans les hublots et je sens une joie profonde monter en moi. Tout le monde a mal dormi, les tables roulantes des hôtesses qui servent le petit-déjeuner bloquent les allées étroites, les passagers engourdis s'entassent devant les portes des toilettes et chacun continue de se livrer à ses occupations profanes comme si nous n'étions pas en train de survoler le globe terrestre. Je sors mon crayon de ma poche et j'écris l'adresse d'Angèle dans la partie de la carte réservée à cette fin.

Piquée dans l'immensité bleue du ciel et de la mer, l'Irlande scintille sous l'aile de l'appareil, aussi claire et précise qu'un atlas géographique en relief. Je bois mon café sans pouvoir détacher les yeux de ce spectacle. Quelques nuages blancs au-dessus de la mer, puis la côte anglaise apparaît et s'efface presque tout de suite sous une couche de brouillard gris de plus en plus dense. Bientôt l'avion entreprend sa descente, un nuage épais bouche les hublots, nous sommes plongés dans les limbes, et puis tout à coup nous revoici sous les nuages, le sol apparaît, coloré, tout près, exquise miniature avec des troupeaux de moutons beiges dans des champs en damier d'un vert tendre, des fermes cachées derrière des haies que nous découvrons à la verticale, du haut des airs, avec chacune son étang où glissent de grands cygnes.

L'aéroport de Heathrow, les douaniers polis comme des gentlemen. Une signalisation parfaite m'amène en douceur jusqu'à un beau train vert olive qui part presque aussitôt et glisse avec le martèlement régulier et assourdi des roues sur les rails à travers des banlieues de brique rouge. Victoria Station, euphorique je me retrouve au cœur de Londres, et je marche, je marche pendant des heures, je m'emplis les yeux de mille merveilles, bercé par la magie de ces noms si souvent entendus et tout à coup devenus réels : Piccadilly Circus, Soho Square, Charing Cross, London Bridge, Chelsea, Trafalgar Road, Carnaby Street, quelle ivresse, je n'en reviens pas, c'est comme un rêve, j'ai atterri dans un rêve et je m'y promène comme je veux. Comme ce matin, je sens monter en moi d'indescriptibles bouffées de bonheur, de grandes vagues de joie pure, des frissons d'extase et de liberté. Je n'ai de comptes à rendre à personne, personne ne sait où je suis, ce que je fais, personne ne sait qui je suis et c'est comme si je n'étais plus rien, rien que cette plaque sensible sur laquelle s'impriment successivement tous les carrefours de Londres, rien qu'un miroir, et je ne veux rien faire d'autre que marcher jusqu'à l'épuisement, me saouler de cette prodigieuse paix, de cette prodigieuse béatitude.

❖

J'attends Jim devant la belle cabine téléphonique rouge qu'on ne peut pas manquer quand on descend du train à Crystal Palace et qu'on suit la rue juste en face de la gare. C'est là que nous nous sommes donné rendez-vous. Je ne l'ai jamais vu mais il est sûr de me reconnaître d'après la description que Paul lui a faite de moi.

Je guette les autos qui ralentissent, tournent ou s'arrêtent devant moi, et je fais des sourires engageants à des inconnus. Ils descendent poster une lettre ou donner un coup de téléphone sans rien comprendre à mon affabilité. Finalement, un grand garçon que je n'ai pas vu venir me tape sur l'épaule : « *I'm Jim* ! » Veston de tweed, grand foulard autour du cou, bottes de cuir fines et élégantes, il mesure bien une dizaine de centimètres de plus que moi et me tend une large main. Je me sens mal habillé, fripé et misérable. « *Where is your luggage ?* » Mes bagages ? Je les ai laissés à Londres, à la consigne. Je ne voulais pas déranger.

◈

Tout ça n'a pas changé grand-chose. Au bout de deux jours, j'ai pris mes habitudes : je sais où acheter le journal, la bière, les *fish'n chips*. Il fait doux et il ne pleut pas. L'appartement de Jim est parfait, moderne, sur deux étages, avec une douche chaude, une télé couleur, des disques, du hasch et quelques bons livres.

Le ciel est gris, uniformément, mais il traîne une lumière diffuse partout, sur les gazons des parcs, les angles bruns et rugueux des murs, et tout en est adouci.

Pendant une semaine j'habite chez Jim. Vie facile qui ressemble de plus en plus à la vie que je menais avant mon départ. Prendre un verre, fumer un joint, parler, rire, plaire, me revoici à nouveau engraissé comme un petit cochon, comme si je ne parvenais pas à échapper à mon destin, à ce destin facile de bourgeois pour qui tout fonctionne d'une certaine façon, à un certain niveau : tant de litres d'alcool, tant de grammes de hash, tant d'heures de loisir, tant de mètres cubes de confort. Alors les mêmes questions reviennent. Que faire maintenant ?

Aussitôt que je m'arrête, c'est comme si tout s'arrêtait autour de moi, une sorte de croûte épaisse recommence à se former, tout stagne et se coagule et je vois avec

horreur ce qui m'avait paru coloré, vif et mouvant pendant quelques jours, reprendre tout à coup les sombres
contours de l'habitude, de l'enlisement, du désespoir.
Londres ne m'étourdit plus et je me revois là, en plein
milieu de mon vide et de mon inutilité, oppressé par les
mêmes questions lourdes et ennuyeuses qui gâchent tout
mon plaisir.

Incapable d'avancer dans mon projet d'écrire un roman
spiritualiste dont je ne réussis jamais qu'à décrire som-
mairement l'architecture complexe sans parvenir à y
pénétrer, je décidai que je n'étais pas venu en voyage pour
retomber dans la même ornière, celle du plaisir facile et
de l'oubli, et je partis pour l'Irlande.

❖

Londres, le seul nom de Londres résonne maintenant
dans ma tête avec ses rouilles et ses ors, avec son bruit
sourd de train sur des rails, son bruit de grille qui se
ferme et ses rues pavées d'or, d'illusions et de misère
comme dans un roman de Dickens.

4

LUNDI. Le traversier quitte Fishguard sous un ciel menaçant. Je fais un tour sur les ponts, regardant la côte s'éloigner. La mer est houleuse, je me promène en zigzaguant, me retenant ici et là aux rampes métalliques peintes d'un blanc épais. J'ai toujours aimé les traversiers, même entre Lévis et Québec, même entre Sorel et Berthier. J'ai encore une photo d'Angèle sur le traversier de Tadoussac, ses cheveux au vent, son châle drapé autour d'elle comme la tunique d'une cariatide et ses yeux transparents regardant au loin comme si nous avions été en pleine mer.

Je monte, je descends, je vais de la proue à la poupe, je grimpe sur le pont supérieur, il n'y a que moi, tous les autres sont à l'intérieur, il s'est mis à pleuvoir, je me laisse transpercer par le vent froid, respirant à pleins poumons l'air neuf et vif. Je m'accoude à la rambarde

arrière, contemplant la déchirure plus claire que nous laissons dans notre sillage et au-dessus de laquelle piaillent
quelques mouettes, je n'en reviens pas de tout ce romantisme, de ce mystère opaque et silencieux. J'éprouve
comme un délicieux vertige la tentation perverse d'échapper mon sac à la mer, papiers d'identité, argent, billet
de retour, souliers de rechange, chandail, chemises, bas,
sous-vêtements, tout cela s'enfonçant entre des poissons
indifférents, tournoyant doucement, ne voulant plus rien
dire, disparu, fini, me laissant là, sans nom, sans passé,
tel que je suis. Identité perdue, des villes entières englou-
ties, happées par le flux du Temps, gobées, avalées, anéan-
ties, effacées de la mémoire avec leurs fonctionnaires,
leurs archives, leurs codes, noyées implacablement dans
l'aveugle nuit des profondeurs.

Je projette mon mégot au loin, il vole un instant sur
un courant d'air courbe puis va flotter parmi les détritus
qu'un cuisinier vient de jeter par-dessus bord. Déjà les
mouettes s'y précipitent en brisant leur vol. Dernier coup
d'œil, je reviens à l'intérieur, je trouve mon chemin
parmi les escaliers et les portes aux seuils surélevés et je
m'assois à une table dans l'espèce de grand salon vitré à
l'avant du bateau où les passagers achèvent de s'installer.
Un grand *freak* dans la trentaine pose presque aussitôt
son sac de cuir à côté de moi et se laisse couler sur la
chaise voisine comme s'il en prenait possession pour toujours, en lançant sur la table son passeport britannique.

Il me regarde au fond des yeux, sans ciller, avec précision : « *Are you motoring ?* » Je lui dis que non, je fais du
pouce comme lui, je fais partie de la confrérie, un com-
plice, un camarade. Il se lève sans dire un mot, ramasse
ses affaires et s'éloigne vers une autre table. Bon. Je vais
chercher une bière au bar pendant qu'une petite blonde
aux yeux pâles, menue comme une poupée, traverse la
salle, traînant derrière elle un gros *pack-sac* rouge et une
mandoline. Le bateau tangue et roule sérieusement, il
faut calculer chaque pas comme un ivrogne sur un trottoir instable. Toute la carcasse du bateau vibre quand
une vague le soulève, puis il y a un glissement. Les trépi-
dations du moteur se font plus fortes, l'étrave s'enfonce
dans une nouvelle vague, la poupe se relève et l'horizon
disparaît, reparaît, disparaît, avec parfois des poussées de
côté qui ressemblent à des dérapages. Les deux barmans
ont beaucoup de travail, les verres et les bouteilles s'en-
trechoquent violemment et j'ai peur à chaque instant
qu'ils ne décident de fermer boutique. Les clients, eux,
font face à une double difficulté : garder la bière dans
leur verre jusqu'au moment de la boire et la garder dans
leur estomac après l'avoir bue.

J'ai toujours entendu dire que les Irlandais étaient de
solides buveurs : il y en a un, malade, à une table, qui
vomit sur le plancher puis s'allume une cigarette et continue à boire, les deux pieds dans une flaque nauséabonde.
Typique et imbécile. Me retenant d'une main au bar, je

fais connaissance avec un grand roux qui revient chez lui après quelques mois passés à travailler en Angleterre. Je ne comprends pas trop ce qu'il me dit mais ça n'a pas l'air d'avoir beaucoup d'importance, il me paie à boire puis m'entraîne visiter les cales du bateau, au troisième sous-sol, où d'énormes camions attachés avec des chaînes tirent et poussent de toutes leurs forces. Il n'y a pas grand-chose d'autre à voir, nous remontons par les ponts extérieurs. C'est maintenant la nuit, le ciel est noir et il vente toujours fort. Pas la moindre étoile en vue. J'abandonne l'Irlandais aux prises avec une tache de graisse noire sur son beau pantalon neuf. Dans le grand salon, tout le monde s'est enfoncé dans une sorte de mauvais sommeil bercé par le ronronnement assourdi et irrégulier des moteurs. Seule la petite blonde fixe les vitres embrouillées. Elle est vraiment toute petite : petites mains, petits doigts, taille minuscule, bien faite, comme un modèle réduit. Elle est écossaise et s'appelle Linda. Elle vient d'une petite ville près de Glasgow, dont je n'arrive pas à saisir le nom. Je le lui fais répéter trois fois et j'abandonne. Quelque chose comme *Ghgh.* Je ne trouve rien d'intelligent à lui dire.

❖

Le traversier accoste à Rosslare vers onze heures. Il vente toujours mais il ne pleut plus. Il y a quelques bâtiments près du quai, mais le village est plus loin, en haut de la

falaise. Je pars à pied, avec Linda. Nous ne parlons pas. Il
y a toutes sortes de silences. Le silence de Linda est un
mur, une défense érigée autour d'elle ; le mien est plein
de mots qui n'arrivent pas à se dire. Le silence de Linda
est un refus, elle n'a pas confiance, elle n'ouvre aucune
porte, pas la moindre brèche que je risquerais de vouloir
agrandir, forcer. Mon silence est une vague qui se brise
sur ce rempart, qui revient contre lui-même, ondes trou-
blées, dédoublées, flacotantes. Je cherche comment l'atteindre, l'ouvrir, la prendre, la dévorer d'amour. Ça ne
l'intéresse pas, d'être dévorée.

En silence, nous escaladons la nuit, sous un ciel parfaitement noir. En bas, on voit le phare, le traversier encore
tout illuminé, la mer noire. Un chien jappe. Le village
est plongé dans l'obscurité. On distingue ici et là la masse
lourde des maisons de pierre, des clôtures de bois sombre
fermant des cours obscures, de vagues bâtiments avec des
portes basses. Le chemin qu'on nous a indiqué s'éloigne
du village, tourne à gauche, grimpe encore un peu. Nous
apercevons les lumières d'une maison, le silence de Linda
se teinte de soulagement.

Mrs. Fowley a préparé du thé pour les deux Néo-
Zélandais débarqués du même bateau que nous et arrivés
quelques minutes plus tôt. Il y a juste assez de chambres pour tout le monde. Dans le petit salon rempli de
bibelots et de souvenirs, nous échangeons des sourires
pleins de bonne volonté. Hanish est grand et mince,

blond, avec un teint de santé. Christiana a les cheveux noirs et des yeux bleu foncé, remarquables, et ce même air de bonheur pur, doux, calme et indestructible. Ils sont venus par l'Asie et le Moyen-Orient, ils ont vu Hong Kong, les Philippines, l'Inde, le Pakistan. Ils sont passés par l'Iran juste avant que ne ferment les frontières, ils ont vécu deux mois à Skopelos, traversé l'Italie, fait les vendanges en France. Ils arrivent du pays de Galles où ils ont travaillé quelque temps sur une ferme, à s'occuper de chevaux. Ils sont tellement gentils et leur bonheur est tellement impénétrable, on dirait qu'ils ont trouvé la clé de la sérénité éternelle, qu'ils seront heureux toute leur vie, comme ça, bêtement, qu'ils ne connaîtront jamais les peines d'amour et la souffrance, les tortures et les déchirements qui sont le lot de tous les hommes et de toutes les femmes sur la terre. Ils retourneront en Nouvelle-Zélande dans six mois, après avoir vu les États-Unis et Hawaï, chacun reprendra son travail, ils auront des enfants. Je me sens mal à l'aise avec mes tourments devant ce couple trop parfait, j'ai envie de boire un scotch ou deux et de dire des tonnes d'imbécillités.

La petite Écossaise est là aussi, silencieuse, posée comme un chat de porcelaine au coin de la table à café encombrée de tasses et de soucoupes. Elle écoute, attentive, plie parfois une oreille dans ma direction, ferme à demi les yeux. Je ne sais pas pourquoi, je n'arrive à dire que des banalités, poser des questions d'interviewer sur l'Australie, Goa, Téhéran. J'entends ma voix beaucoup trop douce, monocorde, ennuyante, dépourvue de conviction. Je m'en veux de ne pas être plus drôle et je sais que ça ne changera pas, pas ce soir. Tout est figé dans le petit salon et il faudrait un coup de hache, un grand cri, un hurlement pour sortir de cette torpeur engourdie.

Linda nous parle un peu de la vie à *Ghgh*, du froid qu'il fait l'hiver dans les maisons. On me demande mon avis, en tant que Québécois je représente l'hiver, c'est comme si je possédais les droits d'auteur sur cette saison. Je dis d'autres banalités. Linda parle de Dublin où elle va retrouver des amis. Je lui demande de nous jouer un peu de mandoline mais elle est trop fatiguée, il est tard. Elle non plus n'a pas envie de malheur, de souffrance, de passion, et je ne peux pas lui en vouloir. Elle est si petite, si petite sous son énorme *pack-sac* rouge, s'élançant dans le vide qui sépare l'Écosse de l'Irlande, toute seule sur la route, sans rien d'autre que son courage, sans autre défense que son sourire, sa naïveté, sa gentillesse, tellement fragile qu'elle est obligée de faire comme si elle n'était pas là pour ne pas se laisser atteindre.

Ce soir je suis seul dans le salon de Mrs. Fowley, seul avec un couple de Néo-Zélandais où il n'y a pas moyen d'entrer, seul avec une petite Écossaise dont l'esprit est ailleurs, seul avec moi-même me prenant pour un autre et cet autre lui aussi fatigué d'être seul.

❖

Elle est folle, j'en suis sûr. Je viens de la rencontrer par
hasard au coin d'une rue où j'hésitais sous la pluie fine,
ne sachant trop dans quelle direction m'engager. J'ai
passé la journée sous cette pluie, à moitié abrité sous
mon parapluie noir, « fouetté par les embruns » comme
on disait dans les livres que je lisais quand j'avais quatorze ans et que je rêvais de partir, de voyager, d'être
libre. Ce matin c'était pire encore, un froid de canard et
des averses à boire debout, tous les autres sont partis vers
Dublin après le déjeuner copieux de Mrs. Fowley, mais
moi, touriste ambitieux, j'ai décidé de faire un petit
détour par le sud et, profitant au mieux des accalmies,
m'arrêtant ici et là dans les pubs, j'ai fini par franchir
les quelque cent kilomètres qui me séparaient de Cork.

C'est à Cork où j'hésitais au coin d'une rue, tout près
d'un pont, que je viens de la rencontrer par hasard. Je
dis « par hasard » : en réalité, c'est moi qui l'ai abordée
et j'aurais pu demander ce renseignement à n'importe
qui d'autre, mais elle je la trouvais jolie, alors pourquoi
pas. Oui, elle peut me dire où trouver une chambre, la
meilleure chose à faire est de s'adresser au Tourist Office,
elle va elle-même de ce côté et m'entraîne avec elle. C'est
un drôle de numéro, un tourbillon, un tourbillon nerveux.
Je viens de Montréal ? Elle aime bien le Canada, elle a
déjà vécu à Toronto, elle me débite toute son histoire à

une vitesse ahurissante, quelque chose à propos de son mari là-bas, je n'ai pas le temps de placer un mot pour arrêter ce flot verbal, lui expliquer que j'en perds des bouts, elle ne me regarde même pas. Peut-être se parle-t-elle à elle-même ? Nous pataugeons dans les flaques d'eau et la boue que les *lorries* ont traînée de la campagne à la ville, j'en suis réduit aux hypothèses, je suppose que son mari est mort dans un accident d'auto et qu'elle est revenue à Cork et je me raccroche de mon mieux à la suite de l'histoire. Nous sommes pressés par la pluie, par l'heure de fermeture des magasins car elle a une course à faire en route, par la foule agglutinée au coin des rues attendant les rares autobus. Je n'ai pas le temps de m'orienter, nous fonçons à toute vitesse à travers une mer houleuse de parapluies s'entrechoquant dans des cliquetis d'escrime, son mari vient de réapparaître dans un bureau d'avocats à Los Angeles, ça sent le chien mouillé, les pantalons humides et la buanderie chinoise et un demi-pas derrière elle je suis sa trace zigzagante, ayant abandonné tout espoir de comprendre quelque chose à son récit.

Nous nous retrouvons au Tourist Office où, à moitié ahuri, j'attends placidement mon tour mais les choses ne vont pas assez vite à son goût, elle reprend la situation en main, discute avec la préposée à l'information, donne un coup de téléphone et m'expédie finalement vers une maison où elle a déjà habité, pas trop loin du centre, et où une certaine Mrs. Kennefik m'attend déjà. Il fait noir maintenant, elle me met d'autorité dans un taxi, avec l'adresse bien indiquée sur un bout de papier. Je songe un instant à l'inviter à souper mais je n'en ai même pas le temps et d'ailleurs il n'en est pas question, ça n'a rien à voir, j'ai l'impression de n'avoir jamais existé pour elle autrement que comme une occasion d'exercer sa charité chrétienne. Il n'y a pas de place pour le désir, elle n'attend rien de moi, nous ne sommes pas deux individus se rencontrant, nous n'avons rien à voir ensemble. Il s'agissait simplement d'une erreur de parcours dont il fallait au plus vite annuler les conséquences peut-être catastrophiques. Mission accomplie, me voici de nouveau sur la bonne voie, j'allais m'égarer et elle m'a réorienté.

Et si j'aimais ça, moi, être perdu ?

Non, non, il ne faut pas, j'imagine son doigt sur sa bouche et son œil un instant apeuré, quelle folie, non, non, il ne faut pas...

Ça y est. Je savais bien qu'il fallait que quelque chose arrive et quelque chose est arrivé. Dans la petite ville de Cork, le bouchon a sauté. Quel jeu je joue avec moi-même, quelles angoisses inutiles, puisque finalement tout cela arrive, comme toujours. Il faut bien que ça arrive. Quand on a confiance, ça n'a pas le choix. Frappez et on vous ouvrira. Et si on n'ouvre pas, frappez, frappez et frappez encore. Et voilà que ça s'ouvre, cette fleur au sommet du crâne ouvre ses larges pétales et maintenant je suis poussé par le vent et je m'élève doucement, je m'envole, je vole et je le sais. Je tourne autour de la chambre, je me regarde dormir, souriant, et je sors, ni par la fenêtre, ni par les murs, mais simplement par le sommet de mon crâne, je me pose au sommet d'une tour et je sais que je ne rêve pas. Dans la ville noire et étrange de Cork, ma chambre est un reposoir avec un gros lit, de lourdes tentures, des candélabres, je veille pendant des heures mon propre catafalque en riant silencieusement d'être mort, je rêve que je ne rêve plus et tout cela a si peu d'importance maintenant, le plaisir et compagnie, les seules choses qui m'importent sont celles-là que j'ai découvertes dans cette euphorie soudaine, il n'y a pas de réalité, c'est ça, la liberté. Cork, l'odeur âcre du charbon, les rues étroites et sombres encaissées par des murs aveugles, cette impression de Moyen Âge, la fumée, l'air lourd et humide, et c'est le jour de mon anniversaire et je suis seul et je n'ai personne à qui parler mais c'est ça que j'ai voulu, cette chambre noire et haute dans cette ville étrange et noire.

Ce soir je soupe dans un restaurant qui s'appelle Pizzaland et Pizzaland m'obsède comme le prototype de ce pays neutre et aseptique que deviendra un jour l'univers si l'empire américain réussit à réaliser son grand rêve d'uniformité propre et dévitalisée. Et ces vers d'un poète inconnu me trottent sans arrêt dans la tête :

They are burning down all the flags
In the garbage can behind McDonald's.

❖

C'était au terminus d'autobus de San Salvador dans la foule barriolée et bigarrée mais combien triste pendant que jouait dans les haut-parleurs *Hotel California* des Eagles et cette chanson n'avait tellement rien à voir avec la situation alors que tu t'embarquais avec je ne sais combien de grammes de cocaïne dans cet autobus qui s'appelait *La Inquietud.*

❖

Pizzaland m'obsède avec sa clientèle de pizzalandais sages et monotones et je bois un troisième verre de vin rouge à mes trente-trois ans lorsque j'aperçois un pizzalandais complètement saoul qui fait des grimaces à tout le monde au grand désespoir des serveuses. «*Bastards we are,* *bastards we stay !*» Un vrai hobo, avec une barbe de trois jours et un manteau trop grand, qui dit à tout le monde ce que personne n'ose dire. Oui, c'est comme ça que les choses se passent au Royaume de Pizzaland : les trous de cul restent des trous de cul et on n'a pas besoin de révolutionnaires pour nous apprendre à faire la révolution.

Chacun joue son rôle sans envier celui du voisin et le rôle du hobo saoul, déchu, malheureux, larmoyant et misérable qui répète agressivement que nous sommes et resterons des bâtards, qu'il est et restera toujours un trou de cul, est un des plus beaux rôles. Et moi dans le rôle de l'écrivain je fais aussi, dit-on, une excellente composition, mais en réalité je suis un petit garçon grimpé dans un arbre qui regarde les fourmis zigzaguer avec détermination sur l'écorce rugueuse, et les seuls livres que je lis sont les aventures du major Biggles par le capitaine W. E. Johns.

Mais un jour on m'a dit que nous pouvions changer le monde et ce que je veux maintenant c'est sortir de ce royaume imaginaire, sortir de ce restaurant, de cette pizzeria irlandaise aseptisée, sortir avec mon ami irlandais faire des grimaces aux bourgeois, aux nantis et aux autres Anglais dans les rues boueuses de Cork. Nous irons nous battre dans des châteaux glacés, aux murs de pierre suintants, pleins de chambres secrètes et d'oubliettes cauchemardesques. Les corneilles volent au-dessus de la tour carrée et les druides réunis dans la forêt transmettent leur savoir à leurs descendants et j'aperçois dans la lumière le preux Geoffroy et le preux Cœur-de-Lion qui me font signe de les rejoindre dans le grand Valhalla.

◈

Le plaisir est une chose si peu importante, c'est ce que je pense encore, assis au deuxième étage d'un autobus de banlieue fouetté par les branches des arbres qui bordent cette route étroite et qui fonce vers Noël sur notre planète amère.

◈

Toujours seul, l'ennui me rejoint sur la petite route boueuse reliant Cork à Kinsale, et rien de glorieux n'éclaire le ciel au-dessus de moi, masse grisâtre de nuages uniformes dont tombe parfois un peu de pluie désagréable. La verte Irlande… poètes en mal de symboles, l'Irlande est grise, noire et brune, l'existence n'est pas symbolique, elle est plate et froide, mouillée et décourageante. J'ai mis sur mon dos tous les vêtements que je pouvais mettre et je fais du pouce en essayant de garder ma main tendue à l'intérieur des dégoulinures de mon parapluie. Je souris quand une auto s'approche et je l'engueule quand elle est passée sans s'arrêter. J'aurais mieux fait de rester à Londres, avec Jim et les autres, ils doivent bien s'amuser à Londres, cette pensée me hante continuellement pendant que mes pieds s'imprègnent d'eau. Mais je ne veux pas m'amuser, j'en ai assez de m'amuser, d'être saoul, d'être *stone* et de rêver d'autre chose. Je suis parti à cause de ça. J'avais l'impression d'être un petit poulet bien engraissé, dodu et blanc, une chair tendre, imbibée de bière et de cognac, juste à point pour les affamés du Tiers monde. Non, je ne veux plus m'amuser. Pauvre imbécile, qu'est-ce que tu fais là, à ton âge, debout sur le bord de la route, à attendre que Dieu lui-même t'embarque dans son char et t'emporte dans son Paradis, quelque part, là-haut, très haut.

Quand j'étais petit, le Ciel était presque visible à l'œil nu. Mais aujourd'hui les avions, les satellites, les fusées, les radiotélescopes… Alors, théologien, maintenant, à quoi penses-tu ? Des mondes parallèles, des niveaux de conscience, des univers d'antimatière ? Ou cette dernière limite indubitable, accessible ici et maintenant ? Tu es venu au monde, alors reste dans le monde, c'est ce que tu as voulu sans doute de toute éternité. Quoi, l'éternité ? Élimine ces mots de ton vocabulaire, en ce moment précis il n'y a rien d'autre que cette route et ce coin d'Irlande, ouvre les yeux. Et à ce moment précis une petite camionnette s'arrête, et je ne doute plus que je sois sur la bonne voie puisque son conducteur, plombier de son état, père de quatre enfants, installé dans ce coin perdu entre deux villages aux noms imprononçables, me parle presque aussitôt de Madras, de Bombay, de la vie qu'il menait là-bas quand il était marin, et des envies qu'il a souvent de repartir, des fourmis dans les jambes. Oui moi aussi j'irai parce que je veux voir deux choses, deux choses pour moi tout seul : un cadavre brûlant sur un bûcher et sentir l'odeur nauséabonde qui s'en dégage, et un saint, un homme réalisé, pareil et différent des autres. Après je pourrai dire la vérité parce que je saurai où est la vérité, et je n'aurai pas besoin de me référer aux structures de l'acceptable et de l'inacceptable, aux normes du ce qui se fait et du ce qui ne se fait pas, aux modèles de la gauche et de la droite. Et l'hydre impourfendable de l'identification du même au même et du pareil au connu ne pourra plus rien contre l'indéfinissable dissolution de mes atomes dans le... — mais alors il n'y aura plus de mots pour dire quoi que ce soit, et à cette limite j'aurai cessé d'être l'écrivain que je ne veux pas être, et l'Univers me prendra en charge parce que je serai dans l'Univers sans séparation, oh oui! je verrai enfin face à face le Grand Quoi-Que-Ce-Soit.

Arbres et haies et pierres ruisselant d'eau défilent et filent derrière nous, je serai mon propre gourou en attendant mieux, en attendant de céder au mirage, et cette image elle-même venue de l'intérieur de moi, n'importe quel penseur le moindrement matérialiste pourrait me l'expliquer et me l'enlever et je pourrais lui répondre que lui aussi... Mais maintenant j'ai besoin de plus en plus intimement et profondément de voir quelqu'un qui en sache plus long que moi, car jusqu'ici tous les guides que j'ai rencontrés étaient des ignorants dont le savoir s'arrêtait juste là où il aurait fallu qu'il commence. Arbres et haies et pierres ruisselant d'eau, au bout de quelques kilomètres je me retrouve au bord de la route encore une fois avec le pouce tendu, le sac sur l'épaule car il n'y a pas un coin sec pour le déposer, les pieds dans la boue, je marche jusqu'à un petit établissement sans nom, un pub, une auberge, je bois une bière brune près d'un brasero en essayant d'arrêter de frissonner, cinq lourds travailleurs avalent leur bol de soupe et leur bouillie en me jetant des regards en coin, attendant qu'il se passe quelque chose mais rien n'arrive. Ils doivent bien s'amuser à Londres, cette pensée revient me hanter. Ils doivent bien s'amuser à Montréal, Québec, San Francisco, Rio, Paris, Rome. À Laval, à Longueuil. Partout, au Forum de Montréal, dans les bars de la rue Saint-Denis, au 321, au Limelight, au Shoeclack, partout les gens sont exactement en train de rire, je les vois, je les entends, et je suis là, seul, au bord de la route, le sac sur l'épaule, le pouce tendu, et puis plus tard, vers la fin de l'après-midi, j'arrive dans ce petit village touristique et propret, aménagé, pensé, construit comme un décor où ne manquent que les figurants, et tant pis, tant pis si je ne réussis plus à faire tenir tout cela ensemble, ça ne tient pas du tout, ça n'a ni commencement ni fin, ça coule comme de l'eau entre mes doigts, je pousse de toutes mes forces sur mes yeux mais ce que je vois n'est rien, je suis dans l'espace incertain des limbes où tout s'embrouille et je pleure l'Irlande à travers mes larmes, la vie est là et ma main dans ce rêve n'arrive pas à saisir le verre et à le boire, et cette soif elle-même me trouble insidieusement parce qu'elle fait partie elle aussi de la vie.

❖

Maintenant je peux bien le dire, il faut bien que je le dise, Angèle : je suis mort, ça fait trois ans que je suis mort ; pas mort peut-être mais certainement je ne suis plus vivant, certainement. Ce qui est mort en moi c'est... Je ne parviens plus à rien imaginer, je ne parviens plus à voir des signes et à croire aux anges que tu accrochais partout chez nous, sur les murs, et les étoiles sur nos vêtements et dans nos mains et nos yeux. Il n'y a plus rien de cela. Ce n'est pas grave, pas très grave, même un peu ridicule, et quand je remue ces souvenirs perdus c'est bien sûr un tas de cendres, je ne peux pas l'éviter, tout cela brûlait trop fort, tout cela a brûlé, m'a brûlé, purifié, comme on dit. Mais qu'est-ce qu'on dit avec ces mots appris, qu'est-ce qu'on sait, les mots il faut se les rentrer dans le corps pour les sentir vraiment. Je ne parle plus à personne maintenant, jamais. Plus jamais. Maintenant je suis toujours seul avec moi-même et je comprends de moins en moins ce qui arrive, je ne sais même plus ce que je veux sinon changer de place le plus souvent possible. On ne pourra jamais rien m'expliquer de moi-même. J'ai tellement peur des gens intelligents, leurs plus belles idées, leurs plus beaux livres, leurs plus belles analyses, tout ça me paraît tellement dérisoire. Le plaisir me rend coupable et le malheur me rend coupable et toi Angèle, qui ne te sentais pas coupable d'exister, qu'est-ce que tu savais de plus que moi ?

◈

Me voici donc à Kinsale, carte postale de charme pour touristes en mal d'émotions douces, tout est désert, ce n'est pas la saison et je me précipite dans le premier bar que je vois, bar tranquille où un vieux disque qui grinche joue des airs anciens. Nostalgie. Nostalgie et poésie et encore : cela pourrait revivre par l'imagination et s'enflammer, donnez-moi deux verres de gin, ou deux Guinness, et je m'en rappellerai des souvenirs de bar où tu chantais penchée sur l'épaule du pianiste qui avait un nom de fille et moi, assis près du piano, je riais parce que tu m'aimais, parce que j'étais en amour avec la chanteuse comme dans les vues, mais je n'avais pas prévu la fin du film, bien qu'elle fût aussi évidente que dans n'importe quel mauvais scénario : l'écrivain et la chanteuse, l'amour fou, le champagne, les exigences des contrats, les petites chicanes de ménage, les scènes de jalousie, la boîte à musique qui se brise, même cela concordait avec tout ce qu'on pouvait imaginer de simple et de satisfaisant pour un public bourgeois bien à l'abri de la réalité ; et tout ce qui ne s'inscrit pas clairement dans le sens de la tragédie, on l'élimine parce qu'il faut que l'histoire soit claire et nette, logique et psychologique.

Je finis ma deuxième bière, je paie sans rien dire, je trouve une chambre et je fais à pied le tour du village. Je visite une église modeste mais historique, je prends encore mon rôle au sérieux, je ramasse même les dépliants. Il pleut toujours et j'imagine l'été, peut-être que l'été il ne pleut pas, qu'il y a moins de boue dans les rues et plus de gens dans les bars, que les voiliers désolés dans la petite baie viennent et repartent doucement dans le soleil couchant entre les îles qui ferment l'horizon.

Après le souper je fais une dernière tentative, je m'habille proprement et je vais dans le bar le plus chic de l'endroit, rien d'intéressant alors je rentre à ma chambre et puis avec le fils du propriétaire je regarde à la télévision couleur, devant un feu de foyer au charbon, un vieux film américain en noir et blanc, la vie d'un écrivain qui devient peu à peu alcoolique, comme tous les écrivains, parce qu'on n'a pas le droit de faire autrement, c'est comme ça. Les acteurs débitent leurs répliques à toute vitesse comme pour s'en débarrasser avant de les avoir oubliées et ils exagèrent chacune de leurs expressions. L'écrivain connaît quelques succès et il se met à boire, au premier échec il augmente la dose, il devient irascible, insupportable, bientôt il n'a plus d'argent, il ne se lève plus, passe ses journées au lit, il n'écrit plus, il est coincé, il a des dettes et toujours cette obsession de l'alcool, les bouteilles qu'on dissimule, l'argent qu'on emprunte ; elle, c'est un ange descendu du ciel, elle l'aime, elle essaie de l'aider, mais finalement elle n'en peut plus, elle le quitte, alors pour lui tout devient encore plus sombre, encore plus noir, et il finit par se suicider. En voulez-vous des histoires d'écrivains, d'artistes détruits, d'alcool et de chute, le fils du propriétaire qui doit bien avoir vingt-deux ans et connaît la vie à fond a très bien saisi le message, bien apprécié le film, parfois même deviné à l'avance ce qui allait se produire, mais moi je n'ai rien compris, j'ai juste envie de me saouler la gueule et les bars sont fermés à cette heure-ci, alors je bois son maudit thé à défaut d'autre chose, pour boire, en attendant, en rêvant à l'ivresse, parce que j'ai soif, et plus le film avance plus j'ai soif, et finalement au lieu d'aller me coucher bien saoul et heureux comme un bon écrivain, je passe la nuit les yeux grands ouverts à écouter les maudites cloches de cette maudite église historique qui sonnent les heures et les demi-heures, en attendant que le jour se lève, en pensant à toi, toujours à toi, et au malheur, au grand malheur de t'avoir perdue, pour toujours, car cela au moins je peux compter là-dessus pour toujours.

❖

Finalement, au petit matin je m'endors et je rêve, chaque nuit maintenant je rêve, chaque nuit, et j'ai hâte de me coucher et de m'en aller là-dedans, là-bas, en dehors de toutes contraintes, dans cette merveilleuse imagination que je ne croyais pas posséder et qui m'emporte sans que je fasse le moindre effort, de surprise en surprise et de beauté en beauté. Le rêve, qu'est-ce qu'on a dit du rêve à part essayer de prétendre qu'il n'existait pas, c'est-à-dire qu'il n'avait pour existence et pour fonction que de signifier autre chose, autre chose que ce qu'il était, la réalité, comme si lui n'était pas réel.

Cette nuit dans mon rêve je suis coureur cycliste et bien que je n'aie aucune préparation je participe à une course importante et je suis aussi bon que les autres, j'ai des ailes, je roule à toute vitesse, je pousse sur les pédales avec allégresse, avec joie, avec une douleur allègre et joyeuse, je me tiens dans le peloton, on est bien, on est beaux, on est comme dans une annonce de bière à la télé. Je veux gagner, je veux gagner parce que je suis moi, et même sans entraînement je peux gagner, moi. Quand les autres s'arrêtent pour prendre un peu de repos, moi je fonce, je continue, je prends de l'avance, je les distance, je mène la course. Mais juste au moment où je commence à être un peu fatigué, quelqu'un me dit que les sprinters vont bientôt arriver. Les sprinters ! Je les avais oubliés. Je sens que je ne finirai pas le premier, plus question, je suis vidé et eux ont conservé leur énergie pour l'effort final. Je suis fâché, je me réveille, je me réveille voilà la meilleure façon de régler les problèmes et je finirai bien par me réveiller de la vie elle-même quand j'en aurai vraiment assez. *Awake !* Réveillez-vous ! Et quand je me serai réveillé, comment est-ce que vous allez me l'expliquer ce rêve que j'avais fait et dans lequel vous étiez des espèces de savants chargés d'expliquer les rêves et où vous aviez mis au point des théories compliquées sans vous rendre compte que c'était moi qui vous rêvais ?

◈

Je me réveille et curieusement je suis de très bonne humeur, je me sens chez moi partout maintenant, cette chambre où j'ai dormi une nuit c'est comme si c'était ma chambre de quand j'avais quinze ans, oui, c'est ça, exactement, je ne suis jamais dépaysé et les gens que je rencontre j'ai l'impression de les connaître de longue date. Je reste quelque temps la tête un peu molle sur l'oreiller à regarder encore mes rêves de la nuit. La bonne humeur m'envahit, me berce comme une vague.

C'est samedi, il fait un temps superbe. Grand ciel bleu, net, ensoleillé, et je me mets en route heureux et confiant après un solide déjeuner irlandais : d'abord des toasts et du café, puis des œufs avec du bacon, des saucisses et ensuite du gruau, puis d'autres toasts, avec des confitures. On en sort lourd et le cœur dans la gorge et on en a jusqu'au souper à essayer de digérer tout ça, mais c'est compris dans le prix de la chambre, alors…

Bientôt rendu dans un village qui s'appelle Bandon, je choisis une petite route qui mène à Killarney en passant par Macroom, on me l'a indiquée comme le meilleur chemin, le plus fréquenté. Je laisse à regret la route vers la mer, je traverse le village à pied et j'attends sous le beau soleil.

Cinq heures plus tard, j'ai marché dix ou douze kilomètres, le ciel est complètement couvert et la pluie se remet à tomber pendant que j'écris dans ma tête une lettre d'insultes que je compte faire paraître dans les journaux de Dublin et qui s'adresse à la population irlandaise au grand complet. Il n'y a pas beaucoup d'autos et les rares imbéciles qui passent tous les quarts d'heure se contentent de me regarder comme une bête curieuse ou rient stupidement en me faisant des signes le pouce tendu vers le bas. Je reprends ma marche la rage au cœur en serrant les poings et je raie, dans ma tête, des phrases sarcastiques pour les remplacer par d'autres plus méchantes encore. J'en suis rendu à régler le conflit protestants-catholiques en démontrant brillamment que de toute façon la charité chrétienne a disparu d'Irlande. Le ministre du Tourisme s'excuse au nom de toute la population (« merci, jeune étranger ») au moment où j'arrive enfin dans une espèce de bar, maison de pierre basse et noire le long de la route. À l'intérieur, deux paysans regardent un combat de boxe à la télévision et rient aux éclats chaque fois qu'un des boxeurs reçoit un coup solide et grimace de douleur. J'ai l'impression de les déranger, le plus laid des deux s'en va presque aussitôt et l'autre refuse d'engager la conversation. Je bois une bière, je mange ce qu'il y a à manger, une tablette de chocolat et un sac de chips, et je ressors avec l'impression d'être tombé dans un pays d'arriérés mentaux. Il se met à pleuvoir sérieusement, la lumière décline, la nuit descend et je ressemble à Tintin dans *L'île noire* après son accident d'avion. Dis donc, Milou, on s'en souviendra de l'Irlande et des Irlandais.

J'ai perdu tout espoir quand tout à coup une auto s'arrête à quelques pas devant moi, j'approche, m'attendant à chaque instant à la voir repartir, plaisanterie locale que j'ai déjà pu apprécier, mais non. J'ouvre la portière ; j'aperçois une carabine appuyée sur le siège avant. Mais le chauffeur, la cinquantaine élégante, dépose bien simplement l'arme sur le siège arrière. C'est un petit calibre : il revient de la chasse au faisan. Je lui raconte mes déboires d'auto-stoppeur, pour me soulager un peu. Il m'explique qu'ici les gens se méfient des étrangers. En effet, j'ai bien vu ça. Quelques minutes plus tard il me dépose à l'entrée de Macroom, au moins je pourrai sans doute coucher ici, il doit bien y avoir une chambre dans le patelin. En me dirigeant vers le centre, je tends encore le pouce à tout hasard et presque aussitôt une auto s'arrête, Volkswagen bleue remplie de batteries, de bouts de fils électriques, de pinces, de clips, de tournevis et d'outils de toutes sortes, et son conducteur, jeune électricien, me parle enfin comme il faut parler à un étranger qui ne demande qu'à s'instruire : l'IRA, les horreurs qui se déroulent chaque jour en Irlande du Nord et dont les journaux ne parlent pas, les tortures, les vengeances, les meurtres, les atrocités subies depuis des siècles par le peuple irlandais, refoulé par les Anglais dans les mauvaises terres de l'Ouest et du Sud. Je les ai vues, ces zones, en rose sur ma carte, le *Gaeltacht*, « là où les Irlandais sont bienvenus », là où l'on parle encore la langue irlandaise, nous y sommes maintenant et je comprends à mi-mots que des batteries et des fils et un électricien c'est utile quand on veut faire des bombes et O'Moriarty, c'est son nom, O'Moriarty, the Sailor, le Marin, m'apprend mes premiers mots d'irlandais avant de me laisser sur une poignée de main à Killarney, car il ne peut m'accompagner plus longtemps, il a rendez-vous dans les environs, et je sais bien que c'est un rendez-vous mystérieux, un rendez-vous de conspirateurs, dans la nuit maintenant tombée, au moment où je descends devant un Woolworth en tous points pareil à ceux que nous avions il n'y a pas si longtemps à Montréal, avec sa grande pancarte aux lettres d'or sur un fond rouge lui-même encadré d'or.

Je trouve une chambre pour la nuit, j'y dépose mon bagage et je suis mûr pour une, deux, trois, quatre, autant de Guinness que je pourrai, dans ce petit bar, tiens, sympathique, plein de jeunes, où je fais rapidement connaissance avec John, Conn, Michael et compagnie, et Ray, ingénieur minier qui revient justement du Canada et m'explique avant que je sois trop saoul le processus d'extraction du pétrole des sables bitumineux et ensuite un autre processus à propos d'une certaine Renée Savard, qu'il a rencontrée dans un bar du Vieux-Québec, et enfin je suis saoul et ils sont saouls aussi et la soirée s'annonce bien dans cette ambiance que je reconnais, fumée, demi-obscurité, entassement dans la chaleur humaine, sourires complices, flots de bière, clins d'œil, mais à onze heures, oui, onze heures pile, les lumières s'allument crûment tout d'un coup et c'est fini, ça me rappelle le Bouvillon, quand ils nous mettaient dehors à trois heures du matin et qu'on renâclait pour quitter nos places, pendant qu'ils passaient l'aspirateur après avoir empilé les chaises sur les tables, excepté notre table à laquelle on collait avec nos bières commandées en quantité au *last call* et auxquelles on s'accrochait désespérément. Ici pourtant personne ne proteste et sans trop traîner la place se vide, à onze heures un samedi soir, c'est fini, on se retrouve dehors, on cherche une discothèque encore ouverte mais il y a foule à la porte, on fait la queue sous une petite bruine désagréable et finalement le cœur n'y est plus, ou peut-être que je suis trop saoul, la magie s'éteint et je rentre me coucher.

◈

Dimanche, il pleut encore. J'ai beaucoup bu, j'en profite pour me replacer l'estomac. Entrailles brouillées, une sorte de goût salé de graisse fondue tortille mes intestins malades. Un dimanche à perdre, je ne vaux rien, je ne veux rien, j'attends que ce soit fini. Je marche dans une sorte de jardin, mi-parc mi-forêt, des souvenirs défilent dans ma tête, flot de souvenirs indistincts envahissant mon esprit, suite d'images plus ou moins précises, petites scènes fugitives, dérive, simple bouleversement de la mémoire, agglutination tout à coup autour d'un nom, puis autre chose, associations molles, sans nerf, sans force, sans jamais aller jusqu'aux détails, sans jamais aller jusqu'à la précision, sans jamais aller jusqu'à l'instant, jusqu'aux sensations, jusqu'au réel, aux mots qu'il faudrait, un simple magma, bien près de la mort, de l'inexistence, par abandon, par manque d'intérêt, vagues lourdes, grises, huileuses, flou tragique d'états d'âme avortés. La pluie tombe sur un grand lac gris entouré de gazons humides et gras et d'écharpes de brouillard accrochées dans des arbres dénudés, je flotte malaisément dans une grande quantité d'eau en suspension qui parfois tombe en bruine vaporisée et m'imbibe jusqu'aux os. Je me suis noyé quelque part et contemple du fond du lac la pluie qui alourdit toute chose jusqu'au lendemain.

5

L E STOP, ses hasards et ses divinités, j'en ai assez.
Abandonné par un jeune arpenteur dans un centre
commercial de la banlieue de Limerick, je regarde couler
devant moi avec un dégoût total une file de voitures aussi
hermétiquement closes que des boîtes de sardines. Des
familles entassées avec les sacs de provisions, des gens qui
sont allés au coin de la rue acheter un paquet de cigarettes.
Pieds mouillés, dégoulinant, gorgé d'eau comme une
éponge, gorgé de campagne, de gazon, de vieilles églises,
de murets, de haies, d'arbres sous la pluie, de villages
boueux, de chuintements de pneus, je n'ai qu'une idée en
tête : le train, tant pis pour l'héroïsme, le train jusqu'à
Dublin.

❖

Sur le quai de la gare, je la remarque tout de suite, avec ses châles, ses jupes longues et colorées, ses cheveux roux et lumineux, ses bottes anciennes à talons hauts et à boutons. Une artiste, une actrice, une folle, quelqu'un à qui parler.

Ah! monter dans un train, grimper sur le marche-pied, se hisser sur la plate-forme en sentant le poids du bagage sur l'épaule, se retrouver coincé dans le corridor étroit qui tourne à angle droit. Assis dans de beaux fauteuils confortables, mes futurs compagnons et compagnes de voyage guettent des yeux par-dessus le bord de leur journal le nouvel arrivant qui viendra troubler leur tranquillité. Je traverse en vitesse deux wagons, je la retrouve en train de s'installer. Toujours gentleman, je l'aide à placer son sac dans le porte-bagage en observant sa taille qui se cambre sous le chemisier étroit, ses bras ronds, ses mains un peu potelées. «Je peux m'asseoir ici?» Je joue de mon anglais hésitant, je fais mon jeune étranger parti hors saison sur les routes de l'Irlande. Bien sûr c'est romantique, et à sa façon de me sourire je sais bien que... Tout de suite ou presque le train repart, nous sommes en route bien au chaud sous le ciel changeant, les nuages blancs et gris, le soleil qui apparaît, disparaît, et de nouveau l'orage, puis de nouveau le soleil, nous buvons une bière délicieuse et j'espère que le voyage va durer longtemps, toujours, je pourrais faire la conversation jusqu'aux Indes. Appuyés de part et d'autre de la petite table basculante que nous avons assujettie entre nos banquettes, nous nous regardons, nous rions, nous parlons comme si nous nous étions enfin retrouvés. Drôle de fille, enfin je touche terre, enfin me voici dans la vraie Irlande, enfin je ne suis plus dans une Irlande de chasseurs de faisan, d'amateurs de boxe, de transporteurs de boue, d'étudiants bornés, de fermiers radins, de petits commerçants, enfin je suis dans une Irlande d'artistes, dans l'Irlande de Joyce, de Synge, de Behan, de Beckett, de Yeats et de Swift, et je peux parler, enfin je ne suis plus cet énergumène, ce pauvre fou, ce bizarre étranger, il y a une porte qui s'ouvre pour moi et elle l'ouvre pour moi, et derrière il y a une Irlande que je reconnais.

Tout de suite nous nous sommes entendus, tout de suite nous sommes seuls au monde, et les voisins nous observent avec sévérité, nous rions trop, nous parlons trop et trop de désir luit dans nos yeux. Le paysage défile dans le bruit des roues et des rails, bien découpé par le rectangle de la fenêtre. Nous avons beaucoup de choses à nous dire, qui se font l'amour comme une délivrance après cette si longue absence intercontinentale, nous nous donnons sans détour la catholique Irlandaise et moi catholique Québécois en Jésus-Christ, sur les bancs de velours de part et d'autre d'une table sur laquelle nous empilons des bières et des mots dorés qui coulent et nous font frémir et vivre dans le désir provoquant déjà de nous toucher dans ces premières minutes de notre adoration perpétuelle de la vie enfin majuscule car nous croyons l'un et l'autre à la beauté.

❖

Dublin. Nous achetons un journal et elle m'aide à trouver une chambre pour la nuit, puis je la reconduis au théâtre où elle joue son premier rôle. Je la reverrai demain soir, nous nous laissons avec un baiser rapide et beaucoup de promesses dans nos yeux. Je passe la nuit dans une pièce étrange à l'étage désert d'une vieille maison. Toute la famille a déménagé au sous-sol, question d'économiser le chauffage pour l'hiver. La chambre est glaciale mais il y a un radiateur qui fonctionne à coup de pièces de monnaie.

Le lendemain je visite la ville sous son grand ciel gris, je traverse ses ponts sur la Liffey huileuse. Où suis-je ? Gris et sombres et lourds, les Irlandais vont et viennent dans leur vie quotidienne et sans joie. Au coin des rues des chœurs angéliques chantent des *Christmas carols* en amassant des fonds pour toutes sortes de bonnes causes, la Croix-Rouge, les enfants malades, les paraplégiques, le cancer, la sclérose en plaques, les pauvres, les laids et les miséreux. Le dernier Pink Floyd tourne dans tous les magasins de disques, martelant ses phrases pleines de révolte. *We don't need no education.* Quelle tristesse que Dublin, pauvre petite ville nordique écrasée par la majesté de ses esplanades et de ses monuments. C'est comme ça que j'imagine Leningrad, ou Vladivostock.

Sous ces ciels lugubres, des odeurs de famine et de pommes de terre traînent parmi les odeurs de charbon. En passant devant les églises les gens font leur signe de croix. On se croirait au Québec en 1950. Dans tout ce gris on ne voit que les yeux, bleus et clairs, verts et liquides, les cheveux blonds, roux, pâles et lumineux à la fois, et une sorte de fatalité écrasante comme la douleur accumulée qui pleut et pleure et traîne au long des rues poussée par le vent gris. Je déjeune avec un jeune couple d'Irlande du Nord qui me parle comme à contrecœur du climat de suspicion qui règne là-bas, des fouilles continuelles, dans les magasins, sur la rue, et m'assure que tout cela paraît bien pire dans les journaux que ce ne l'est en réalité, que la vie est somme toute aussi calme que partout ailleurs et que seule l'atmosphère de crainte et d'appréhension empêche d'y mener une existence normale. Au dîner, je me retrouve à côté d'un commerçant britannique retraité de l'import-export qui m'explique les changements profonds qu'a subis Dublin depuis une quinzaine d'années, et me parle de la vie beaucoup plus lente, provinciale, qu'on y trouvait avant. Plus lente ? Qu'est-ce que ça devait être, j'ai déjà l'impression de voyager dans le passé.

Soirée au théâtre, la pièce s'intitule *Once a Catholic...* et débute par le *Tantum ergo*, les souvenirs de collège me

remontent par tout le corps, la messe obligatoire du ven-
dredi, le veston bleu marine avec l'écusson, les pantalons
gris, la cravate rouge vin, l'odeur d'encens et la libération
qui suivait dans le brouhaha où nous courions chercher
nos serviettes bourrées de livres et de cahiers, petits étudiants propres et élitistes envahissant les autobus avec
leurs cris et leurs blagues, leurs tiraillages et leur petit
univers plein de suffisance. Ici, l'action se passe dans un
couvent et l'héroïne est partagée entre une excursion
organisée par les sœurs à Fatima et les plaisirs impurs du
rock'n roll, je reconnais ce climat morbide dont je suis
issu, les angoisses de confesser l'attrait de la chair, les
masturbations, les premiers attouchements marqués par
le péché, l'obsession des seins et autres parties du corps
entrevues dans les dictionnaires sous la caution de l'œuvre
d'art, satyres enlevant des nymphes dans leurs bras puis-
sants, leurs fesses musclées dissimulant toujours ce sexe
dont je me demandais avec toute la terreur d'une possible
anormalité s'il ressemblait au mien.

Kate n'a qu'une réplique et sa réplique n'a qu'un mot,
elle répond « *present* » à l'appel de son nom et je lui fais
valoir après la pièce que c'est la meilleure façon de commencer une carrière, présente, je suis là, me voilà, *here
and now*, la présence en scène, qualité primordiale de
l'acteur, de l'actrice, et de plus c'est un rôle de composition puisqu'elle joue l'étudiante polonaise et que par ce

seul mot elle doit le faire sentir, roulant son « r » comme
une étrangère essayant de ne pas laisser paraître son ori-
gine et ne réussissant pas à dissimuler malgré elle un
indicible et indéniable charme slave. Tout ça dans un mot,
Kate, c'est formidable, et je l'assure que je l'ai trouvée
formidable, j'en mets et en remets à plaisir moi qui dans
les coulisses, à Montréal, quand j'allais chercher Angèle,
me terrais toujours dans un coin, incapable de dire quoi
que ce soit.

Il est onze heures quand nous sortons du théâtre et
les pubs sont déjà fermés ; nous allons chez son amie
Barbra, mignonne et triste étudiante qui écoute Dylan,
Van Morrisson et Gérard Lenorman en s'ennuyant de son
amant marocain. Elles m'adoptent déjà et veulent faire
de moi un vrai Irlandais, nous parlons doucement au coin
du feu de foyer alimenté au charbon, phrases banales,
détails sans importance, échanges anodins, étapes à franchir puisqu'on ne commence jamais de but en blanc, on
traîne toujours le passé et puis le présent et l'avenir, mais
je sais bien que l'éternité est là quelque part au-dessus
de nos têtes et toujours parfaitement disponible, par
exemple en ce moment même où nous nous embrassons
à l'angle d'un parc, vers trois heures trente du matin,
dans une sorte d'air liquide et doux que le chant des
oiseaux adoucit encore, et moi une main dans ses cheveux et l'autre encerclant sa taille je garde les yeux
ouverts, je vois les alignements de maisons aux portes

géorgiennes, je vois le ciel dégagé, bleuté, l'aube naissante où flottent quelques nuages gris pâle, j'écoute, je
sens, j'entends et je me demande à quoi elle s'abandonne
en s'abandonnant ainsi contre moi, quel est ce rêve
ancien et romantique juste là, dans mes bras, un rêve
que je serre aussi contre moi, puis ma langue s'introduit
dans sa bouche et je regarde ces yeux fermés, ce don qui
ne me donne rien, nos langues allant tour à tour dans
l'une et l'autre bouche avec leurs salives qui se mêlent,
nos lèvres à la peau mince enveloppant la chair pleine de
sang et qui se pressent l'une sur l'autre, nos deux corps
qui se collent et qui ne réussiront jamais à se fondre
l'un dans l'autre, qu'est-ce que je fais là, qu'est-ce que
nous faisons là ? Les secondes passent, elles deviennent
des minutes, il m'arrive trop souvent maintenant de ne
plus rien comprendre à ces désirs d'accouplement, ces
amoureux que je regarde passer sans envie, qu'est-ce que
vous faites là ? Qu'est-ce que vous croyez avoir trouvé ?
Et moi j'essaie de retirer ma langue sans la peiner, de
mettre fin à ce baiser qui ne mène nulle part et qui
devra bien finir, qui devra bien finir, ne serait-ce qu'un
jour ou l'autre.

Nous nous quittons, je sais qu'elle meurt d'envie de
m'inviter à finir la nuit chez elle et qu'elle n'ose pas
le faire, les étapes, la peur d'avoir l'air trop facile, il
faudra attendre encore un peu, je la reverrai demain,
elle m'invite pour le *high tea*, et je rentre doucement

chez moi, et je dors dans la même paix et certitude que connaissent tous ceux qu'un grand amour rassurant attend.

❖

Il pleut, il pleut, il pleut, c'est interminable, je passe à travers les heures et les minutes avec dans ma tête des milliers de mots qui s'amoncellent, je passe à travers le temps et ses minuscules instants, à travers l'espace et ses minuscules distances, manger, porter la nourriture à sa bouche, mastiquer, avaler, puis se lever, marcher, attendre aux intersections, changer de rue, tous ces détails sans importance qui sont toute la vie quand on est là sans savoir pourquoi on est là, pauvre être humain sans but précis dérivant lentement sans pouvoir faire mieux. Je visite le musée, les salles irlandaises surtout, cette longue histoire de lutte, de misère, de refus, tant de choses à apprendre, depuis la préhistoire et ce vieux fond celte avec sa langue extraordinaire, capitales aux noms inattendus, Emain, Tara, Dinn Rigg, Temuir Erann, Cruachain, sa loi, son code, sa monarchie étrange, puis ces invasions successives, interminables, et toujours cet arrière-plan de misère effroyable, ces famines à répétition, le choléra, la pauvreté, la domination économique, politique, l'interminable lutte pour l'indépendance, pour la sauvegarde de quelque chose, de quoi ? Guerres de religion greffées sur la libération économique, la minorité protestante, anglaise, dominant tout un peuple, tous ces noms inconnus, toute une vie certainement pour devenir irlandais, pour avoir ce passé, cette histoire, cette culture écrite dans les veines, les gènes, les chromosomes, la mémoire.

Tant de choses à apprendre, deux millions de morts entre 1846 et 1851, deux millions de vies humaines, de destins individuels, de souffrances, avec des jours et des jours sans pain et parfois peut-être un maigre repas, peut-être des amours, des rires, des colères, des fantasmes sexuels, des espoirs tout petits, des désirs, des bonheurs que nous ne saurons jamais, car il n'y a que cela, deux millions de morts, qui reste dans l'Histoire, pour une poignée de héros qui n'étaient peut-être que des fous.

Heureusement, il y a la bibliothèque de Trinity College pour nous apporter son incontestable réconfort, ses livres aux reliures usées, aux reflets de cuivre et d'or, abri hors du temps où travailler avec une patience de fourmi au grand labeur humain, sous le regard rassurant des bustes de marbre blanc de tous les grands sages de l'humanité. Et puis, encore, pour les moments de découragement, ces pubs romantiques où Joyce et Yeats et Synge et O'Casey, Beckett, Oscar Wilde et Shaw ont taillé leurs noms au couteau avant de partir, de fuir ce monde trop petit.

J'arrive chez Kate pour le *high tea*, tout plein de mes connaissances récemment acquises, et nous parlons, parlons, parlons, mêlant la politique, l'art et la religion.

On est toujours colonisé culturellement, tu sais. Au Québec comme en Irlande, en Angleterre comme aux États-Unis. La culture, c'est quand les autres nous envahissent, quand les autres nous prennent à nous-mêmes pour nous faire entrer dans ce qu'ils sont, quand ils nous donnent leurs mots pour voir et pour sentir et pour penser et pour parler, et peu importe que ces mots soient anglais, français ou chinois, féminins, masculins ou neutres, ils ne sont jamais neutres. Ils ne sont jamais neutres, les mots, ils déforment tout, ils nous chassent des pays merveilleux de l'enfance, ils nous circonscrivent, nous limitent et nous censurent et quand nous entrons dans une langue, nous ne savons pas dans quoi nous entrons, mais c'est une religion, c'est une cathédrale, c'est une maison, c'est un vêtement et nous aurons beau faire et beau nous débattre, nous sommes pris. Il n'y a plus de pureté possible, le regard s'amenuise, l'œil ternit, on nous aveugle lentement et notre seul effort doit consister à retrouver la vue, à réapprendre à voir, mais entre nous et ce que nous sommes vraiment se tient la barrière de milliers de mots, avec leur histoire, leur découpage, leurs référents, leur poussière, leur passé, leurs déformations, leur tristesse. Et la seule issue pour moi actuellement c'est la fuite, une fuite accélérée de cela qui me rejoint toujours, qui me rejoint tellement vite, qui se jette sur moi et m'empêche de voir, qui me bouche la vue, qui me bouche la liberté. Je ne veux pas devenir aveugle. Il n'y a personne au monde qui puisse me donner ma liberté, pas même les plus grands ni les plus libres des hommes, parce que le mot *grand* et le mot *libre* et le mot *homme* sont encore des mots. Je déteste les mots, tu sais, oui je suis écrivain et je déteste tous les mots qui me poursuivent et me harcèlent et me persécutent et le mot écrivain est un de ceux-là parce que c'est quoi ça, être écrivain, penses-tu ? Est-ce que je suis écrivain quand je te parle, quand je prends l'autobus, est-ce que je suis écrivain dans mon bain, quand je mange ? Et toi qui me prends pour un écrivain, qu'est-ce que tu penses que je suis, un mot ?

L'univers est en dedans de moi et c'est là que je n'arrive pas. L'univers est en dehors de moi aussi et je ne suis ni en dehors ni en dedans mais ailleurs, dans la zone indéterminée et commune de la fiction humaine. Nous vivons dans la fiction, le sais-tu ? Nous ne sommes pas nous-mêmes, nous ne voyons rien, nous ne sentons rien de ce qui se passe, de ce qui se passe en ce moment même, en ce moment précis, nous ne sommes que des éléments d'un code, un vaste code social, politique, économique, culturel, cette bouillie pour les chats, cette bouillie de rires et de sentiments tout à fait interchangeables dont l'explosion devient de plus en plus, toujours de plus en plus imminente, sans jamais se produire parce que le mot *révolution* n'est jamais la révolution. Je te fais signe avec des petits signaux qui signifient, Kate, alors que cela n'a pas de sens. Je voudrais que tu le comprennes, je pense même paradoxalement que tu peux arriver à le comprendre, j'espère que tu pourras arriver à le comprendre et puis après... Même cela me décourage. C'est aux oiseaux que je voudrais parler, aux pigeons de Dublin, aux arbres de Saint Stephen's Green, à la terre d'Irlande que nous appelons irlandaise et qui n'est pas irlandaise. Imagine une pelletée de terre d'Irlande transportée à Londres, imagine l'Irlande transportée pelletée par pelletée et devenant la terre d'Angleterre, la même terre, c'est aux vers qui grouillent dans cette pelletée que je voudrais parler, dans ce qui n'est même pas de la terre, même pas du glaiseux ou de l'humide, mais cela, cela qui touche nos anneaux, cela qui bouche nos yeux, cela qui nous nourrit, cela qui vit avec nous, nous prolonge, nous pénètre, nous reçoit, qu'il n'y ait plus de différence entre l'univers et nous, plus de séparation, plus de coupure... Fou, oui, et pourtant qui peut se vanter d'en savoir plus long que moi ? Qui a la réponse à la question sans réponse ? Les gens ont accepté de mourir dans l'étroite partition de leur rôle fictionnel : plombier, avocat, chef de famille, amoureux éperdu, n'importe quoi, j'aurais pu moi aussi être écrivain, jusqu'à la fin de mes jours, mais je refuse. Je refuse. J'accepte le nœud douloureux qui m'empêche à la fois d'être un homme et d'être dieu. Je ne comprends pas qu'on s'entête à défendre une culture comme si on allait y trouver un salut. Québécois. Irlandais. Bien sûr il m'arrive de m'y laisser prendre et d'admirer ceux qui ont défendu jusqu'à la mort cette idée à laquelle ils croyaient. Mais après ? Où s'arrêtent les nations, où tracer les frontières ? Empires, pays, provinces, régions, villages, et tout au bout la solitude. On peut diviser à l'infini. Ensembles, sous-ensembles, sous-sous-ensembles. Genres, espèces, familles, individus. Cela ne m'intéresse plus. Moi j'aspire à l'éternité et je la veux, je sais qu'elle existe et je sais où elle est, à l'instant où je te parle. Plus loin, plus haut, plus bas, plus près, que m'importe, le mot *éternel* est une invention qui nous détourne de l'éternité. L'éternité est dans ce qui entre en moi et ce qui sort de moi trop vite pour que je le sache. Fou, oui, tu le sais aussi bien que moi, tout le monde devient fou. Les écrivains, les artistes, les chercheurs deviennent fous, et ceux qui ne deviennent pas fous demeurent ce qu'ils sont, des gens ordinaires et heureux de courir au dépotoir de l'espèce sans jamais avoir frémi d'horreur et sans avoir connu l'extase et qui meurent sans jamais être morts et qui sont effacés sans laisser de traces. Parfois je les envie de vivre dans cet univers plein de sens, avec la mesure de l'argent, l'ubiquité du politique, les facilités du sexe et le repos de la distraction. L'éternité est sans mesure, comment pourrions-nous en parler ? La poésie n'est pas donnée à tout le monde, il faut d'abord faire la conquête du silence et faire taire la voix de tout ce qui en nous n'est pas de nous. Les mots sont de trop. Nous parlons trop, nous lisons trop et nous écrivons trop. Nous donnons du sens à ce qui ne devrait être que du son. Les Orientaux ont raison : mantras et silence.

◈

Kate m'écoute et je sais que je la séduis. Nous observons tous deux la flamme du foyer en buvant du vin rouge et parfois nos regards se croisent et je vois briller ses yeux. Je sais très bien ce qui se passe. Quelque chose en elle devient mou et chaud. C'est si facile de séduire, je me séduis moi-même, je me séduis et me dégoûte moi-même. Je laisse le vin parler à travers moi et son discours ailé me transporte. Dehors il pleut encore et nous sommes là depuis des heures. L'obscurité a envahi la pièce. Kate allume une petite lampe et se rapproche de moi. Bientôt viendra le moment où je la prendrai dans mes bras, où je l'embrasserai. Nous nous dirons peut-être des mots d'amour. Nous nous déshabillerons l'un et l'autre, bouton par bouton, une manche après l'autre, accrochés dans les bas, les jambes de pantalon, découvrant de petits morceaux de chair que nous caresserons doucement. J'imagine facilement toute la scène, je l'ai vécue tant de fois déjà, et je ne suis pas pressé. J'ai bien plus envie de parler, de me vider le cerveau. Elle est jeune, Kate, à peine un peu plus de vingt ans. Pour elle, ce sera encore nouveau, magique peut-être. Un rêve. Plus tard elle m'en voudra sans doute, elle se dira qu'elle s'est bien fait avoir. Mais je n'y peux rien, je lui plais, elle en a envie, j'ai beau raconter les pires histoires sur mon compte, la prévenir que je ne suis qu'un voyageur, me noircir autant que je peux, boire comme un ivrogne, le destin nous pousse l'un vers l'autre et nous n'y échapperons pas. Il faudrait que j'aie la force de me lever et de partir et de cela je ne suis pas capable. J'ai trop envie d'être bien, de rester là, de parler, de rire. Moi, lui dis-je, j'ai assez souffert pour ne plus avoir envie de souffrir. Ça ne donne rien. Je me laisse rarement atteindre. Je ne suis pas le prince charmant, tu sais, simplement un autre pauvre être humain ordinaire qui n'a pas vécu à la hauteur de ce qu'il aurait rêvé. La vie, ses facilités, ses petitesses. Et je sens bien à ce moment-là tout ce qui manque de vigueur et d'enthousiasme à mon cœur pour que la poésie soit, pour que ce moment se détache et s'enflamme.

J'en ai trop dit, trop dit sur le découragement, sur le désespoir, elle veut, elle ne veut plus, elle sait maintenant que cela ne mène nulle part, mais il y a autre chose en elle, une envie peut-être de consoler un petit garçon déçu qui en sait trop long et qui n'arrive plus à s'amuser. Je sais que je sais que je sais que.

Malgré tout nous finissons par nous étendre sur le lit étroit, malgré tout mon sexe se met à grossir le long de son corps et je me détends petit à petit. À ce point-là les questions ont tendance à disparaître, le mystère prend le dessus. Il y a quelque chose de sacré même dans les amours les plus banales, les relations les moins bien assorties, les rencontres les plus brèves. L'instinct bouleverse tout. Le gonflement du pénis met fin au monologue intérieur. Il subsiste parfois des moments de recul, d'appréciation, de commentaire, mais entre ces moments, rien, le vide parfait, une sorte de nirvana. La satisfaction du devoir accompli, de répondre aux exigences de l'espèce. Je la serre dans mes bras et un contentement inattendu s'empare de tout mon être. Nus enfin, nous nous collons l'un contre l'autre, petits amoureux perdus dans une chambre sans nom, éclairés par la seule flamme du foyer, grelottant de froid et de plaisir dans les bras l'un de l'autre. Puis sous les couvertures je caresse longtemps la peau moite et blanche de Kate sans parvenir à apaiser cette nervosité d'adolescente timide et tendue, si tendue que je ne parviens pas, qu'elle ne parvient pas à me laisser la pénétrer.

❖

Je m'installe chez Kate, je peux rester dit-elle aussi longtemps que je voudrai, et bien sûr cela me donne déjà envie de partir, en un instant je m'imagine terminant mes jours à Dublin, devenu citoyen irlandais, recommençant à nouveau une vie pareille à l'ancienne, avec vingt ans de retard historique et une langue étrangère effaçant peu à peu de ma mémoire celui que j'aurais été. Nous visitons nos amis et les réconfortons, nous avons nos projets et nos rêves, nos inquiétudes et nos joies, nos peines et nos moments de désarroi et il ne me reste plus qu'à attendre l'heure d'ouverture des pubs et à rêver que je partirai un jour puisque je ne serai jamais parti.

Pluie, pluie, pluie, le lendemain aussi, tous les détails, le prix des chambres, les noms irlandais, les pubs fermés à onze heures, les feux de foyer au charbon, vingt-six dollars par semaine, les toilettes dans le corridor, l'hôtel près de la librairie en face du parc, la petite écluse sur le canal, les prostituées noires au coin de la rue, les boutiques chic près de l'université, l'esplanade trop large et tous les magasineurs de Noël qui se pressent dans les magasins, la serveuse française de Pizzaland à qui je préfère parler en anglais parce qu'elle ne comprend pas mon accent québécois, tout cela entre en moi et coule en moi et se mêle dans ma cervelle.

J'ai trop bu, je suis malade, diarrhée et vomissements, je me vide par les deux bouts, je passe la journée au lit, à lire, à écouter la radio, à attendre le retour de Kate, maternelle, avec le sirop et le sac de provisions, et je m'amuse à la faire rire en attendant, en attendant, en attendant de repartir. Je suis malade, je suis bien, je m'en fous, j'ai la diarrhée, je vomis tous les quarts d'heure, je me précipite aux toilettes glaciales où la bise de décembre entre librement en jets froids par le cadre descellé de la mauvaise fenêtre, je m'agenouille au-dessus de la cuvette et je me tords pour me vider de mes mensonges, j'observe froidement la faïence froide et les taches jaunes imprégnées sur les bords et ça n'a pas d'importance, c'est comme si même ma souffrance était une étrangère, je méprise l'individu minable à qui elle arrive. Puis, fiévreux et couvert de sueur, je retourne en vitesse me coucher sous autant de couvertures que j'ai pu trouver et je tremble de tous mes membres. Kate prend soin de moi et je m'abandonne à elle comme un enfant, je ne veux plus jamais rien décider par moi-même, je m'en remets à elle et à la Providence et je ne réussis pas encore à aimer, je n'éprouve que le vide, un vide déroutant et amer.

À la fin de la journée le gros de la crise est passé et je reste assis, tranquille, devant le feu de foyer, écoutant à la radio française des émissions de rock'n roll démentes avec un disc-jockey délirant qui crie n'importe quoi par-dessus la musique de vieux 45 tours.

Le lendemain, j'ai encore la tête molle, Kate m'apporte un remède celte composé par un vieux druide pharmaceutique et qui ressemble à un mélange de peinture blanche, de sirop contre le rhume et d'éther, puis nous allons bouquiner, des livres encore qui m'empêcheront de toucher à la vraie vie comme je voudrais que ce soit si je réussissais à décrocher de ce vieux cerveau déformé bourré de paperasses et de pattes de mouche.

Dans un *Book of Nonsense* ouvert au hasard, je tombe sur la section *Limerick,* Limerick, c'est là que j'ai rencontré Kate, et dans cette section le livre s'ouvre de lui-même sur un *limerick* de Kipling intitulé *Québec.* Est-ce un signe et que signifie-t-il ?

Je n'y comprends rien et comme je ne crois pas aux signes mais à la réalité matérielle, observable, mesurable et empirique, je suis bien content que tout cela soit du *nonsense.*

Il y a un *party* ce soir, Kate est heureuse, c'est la dernière de la pièce, des amis sont arrivés de Cork, je passerai les vacances de Noël ici peut-être. Toujours ces appartements minuscules et tous ces gens ont l'air de conspirateurs tellement la vie est sombre, tous ces gens cherchent la lumière chacun à sa façon comme Connor qui se jette sur tout le monde, débordant d'amour, et me renverse finalement par terre, me mord dans le cou et me tripote les couilles en criant « *balls, balls, balls* », je suis trop saoul pour me relever et nous nous retrouvons tous trois par terre, Kate qui essaie de me soutenir et lui et moi et tant mieux amis irlandais s'il se passe enfin quelque chose.

Kate est heureuse, Barbra me dit : « *Have you ever seen her with such a smile ?* » Bien sûr que non, je ne l'ai pas connue avant, comment saurais-je, mais suis-je venu au monde pour faire sagement le bonheur d'une Irlandaise ?

Nous avons parié aux courses de chevaux, nous n'avons

rien gagné, nous avons bu des *hot whiskys* chez Toner, sur Baggott Street, nous avons vu les maisons roses et vertes en front de mer à Dun Laoghaire comme deux amants romantiques et quand je suis heureux je parle toujours en abondance. Angèle me chantait souvent cet air de Nicole Croisille : « toi tu étais gai comme un Italien quand il sait qu'il aura de l'amour et du vin » et je me souviens de Pamela qui appréciait mes délires mystiques « *mainly when you are high on wine* ». *High on wine* facile, mais à jeun ? Le vrai mysticisme commence quand on dessaoule.

Oui, je savais, j'ai déjà su m'amuser, mais voilà, maintenant j'ai décidé autrement, maintenant je sais qu'il y a quelque chose d'autre qui me tire vers l'avant et que je n'atteindrai jamais parce que je ne veux même pas l'atteindre, parce que si je l'atteignais je me sauverais en courant dans l'autre sens. Bien sûr ça s'est passé comme ça et ça ne s'est pas passé comme ça du tout. Dans chaque seconde il y a un roman complet, avec son début et sa fin, avec tous ses enchaînements de causes et de conséquences et ses infinies dimensions horizontales et verticales. Mais ce qu'il m'en reste maintenant c'est cela, à peine une trace, un parfum sensible de la largeur de ce corps, le poids de ce volume charnel et l'espèce de moiteur de la peau, les fins cheveux blonds que je caressais sur son épaule, l'impression de pouvoir toujours tout comprendre des êtres comme moi à la recherche de la lumière, et l'impression aussi que cette lumière je ne peux pas la donner parce que je ne l'ai pas en moi, ni la lumière, ni la paix, ni l'amour, et aussi cette brisure, ce quelque chose de cassé dans les profondeurs, comme une mort douloureuse constituée de mille petits détails, une mort bien à moi et par laquelle je devais nécessairement passer, je devrai encore passer, boire jusqu'au bout, jusqu'à la lie. Je n'ai pas su aimer, je n'ai jamais su aimer, et il faut qu'on m'apprenne en m'enfonçant la tête dedans de force, regarde, sens, hume ton malheur, ton désespoir, comprends-tu pourquoi tu souffres ? Regarde encore, étouffe encore, encore plus, tu n'as jamais aimé que ça, toi, un mirage.

Ce soir Kate part pour une dernière réunion et je lui dis adieu, adieu, nous nous embrassons, adieu Kate, nous ne nous reverrons jamais, quand elle reviendra je serai reparti, mais tu peux rester, *if you want, if you change your mind*, le traversier n'a pas traversé hier, la mer était trop grosse, et puis Noël s'en vient, nous pourrions le passer ensemble, adieu Kate, c'était bien, j'étais bien ici, trop bien, j'allais devenir irlandais mais je ne peux pas, je suis parti pour plus loin, il faut que je parte, il faut que je parte d'où je suis bien pour aller là où je ne peux plus vivre, où je devrai mourir, mourir pour devenir autre.

Et seul, mais pas encore vraiment seul, je me fais des choux de Bruxelles dans la cuisinette froide comme un frigo et je bois de l'eau de Vichy, et je ramasse mes affaires, et je les remets encore une fois dans mon sac, et je remets encore une fois mon sac sur mon épaule, et j'ouvre une dernière fois la porte et je cache une dernière fois la clé dans sa cachette et je marche encore une fois vers le port et je prends encore une fois le traversier, pour traverser les apparences, traverser la peur, traverser la mort, traverser la mer d'Irlande.

Repartir, je ne suis bien qu'à ce moment-là, quand les amarres sont rembobinées sur les treuils gigantesques, quand le quai se détache lentement et que la mer encercle de nouveau le grand bateau de métal, quand la proue se tourne vers le large et tâte la mer en hésitant, fouettée par les premières vagues, quand il n'y a plus rien devant que la nuit noire et l'eau lourde et noire, quand les lumières de la côte s'éloignent et que nous prenons de la vitesse et commençons à glisser et valser et sauter sur les vagues. Quand les images se succèdent sans jamais se fixer et que nous glissons en elles, fluides, mobiles, quand tout cela est éphémère et sans solidité et qu'on n'a pas de prise. Quand on sait que cet instant ne se reproduira plus jamais, qu'il passe, qu'il passe sans qu'on puisse même en un instant le saisir. Et c'est comme si je me voyais du bateau sur le quai et comme si je me voyais du quai sur le bateau et que je pouvais me dire adieu et continuer deux existences qui à partir de maintenant ne se rencontreraient plus jamais. Après quelques jours dans le lit de Kate je quitte l'Irlande, en regardant du pont arrière vaciller les lumières, s'éteindre et s'allumer les bouées et les phares, avec cet impénétrable et profond sentiment d'un instant sans retour, glissant dans un temps fluide, un temps libéré de contrainte et s'écoulant dans un seul mouvement, un seul flux, emportant à la fois le bateau et la mer noire et les phares rouges et verts et l'espace du ciel et moi accoudé au bastingage comme dans les meilleurs romans d'amour.

Le pont de Londres

1

JE REVINS D'IRLANDE à la mi-décembre avec l'intention de ne passer à Londres que deux ou trois jours, le
temps de saluer Jim, d'établir un itinéraire et de trouver
un moyen de transport bon marché vers l'Orient. Noël
approchait, il fallait que je me dépêche.

J'avais quitté Dublin avec le sentiment de faire ce que
j'avais à faire ; du moins, j'essayais de m'en convaincre.
Là-bas j'avais retrouvé, dans mes brèves amours avec
Kate, la confiance en moi qui souvent me faisait défaut
et dont j'avais besoin pour poursuivre ma route. En la
laissant comme je l'avais fait, si rapidement et irrévoca-
blement, j'avais l'impression de n'avoir été ni égoïste ni
cruel, mais d'avoir obéi en quelque sorte à l'idée la plus
haute que je pouvais avoir de moi-même et de la vie telle
qu'elle devait être vécue. Il ne s'agissait pas, en tout cas,
d'une solution de facilité : j'aurais pu, plus facilement,

demeurer auprès d'elle et attendre, pour partir, que notre relation se détériore.

Dans le train qui me ramenait à Londres, après une traversée sans histoire de la mer du Nord, je me sentais à nouveau débordant d'énergie. Bien installé devant une bière, je regardais par la fenêtre filer à toute allure la campagne anglaise. Ravi, j'imaginais avec plaisir les événements des jours à venir : les retrouvailles avec Jim, les préparatifs de départ, le Magic Bus pour Athènes, le soleil enfin et le climat plus chaud où j'entamerais la nouvelle année ; dans ma tête, les séquences s'enchaînaient en un montage fluide qui ne laissait place à aucun temps mort.

❖

Dans la réalité, les choses se passèrent tout à fait autrement. Lorsque je descendis du train, à Victoria Station, l'après-midi s'achevait. Jim, que j'essayai de joindre au téléphone, avait déjà quitté son bureau. Il n'était pas encore chez lui. Pour tuer le temps en attendant de pouvoir l'atteindre, je décidai de souper en ville. Les restaurants me parurent terriblement chers. Mal habillé, cheveux sales, mon sac encombrant et ridicule en bandoulière, j'éprouvai à nouveau le sentiment d'être un jeune provincial maladroit débarqué dans la grande ville. J'avais un instant rêvé de luxe et d'élégance ; je finis par me réfugier dans un de ces Pizzaland anonymes dont je

86

disais toujours beaucoup de mal mais où je me sentais en sécurité. Mon repas terminé, je m'empressai de quitter Londres pour Crystal Palace, la banlieue où Jim habitait.

J'aurais pu me rendre directement chez lui. J'avais dans mes bagages un double de sa clef. J'hésitais pourtant à l'utiliser, parce qu'en réalité, cette clef, je n'aurais pas dû l'avoir. Cette histoire, pourtant simple, avait pris dans mon esprit de telles proportions que je ne parvenais plus à en faire une analyse correcte. Voici ce qui s'était passé.

La veille de mon départ pour l'Irlande, une quinzaine de jours plus tôt, Jim, chez qui j'habitais, m'avait demandé de lui rendre la clef qu'il m'avait prêtée. Puisqu'il travaillait et que je quitterais l'appartement plus tard que lui, nous avions convenu que je n'aurais qu'à la laisser dans la boîte aux lettres. À la dernière minute pourtant, j'avais hésité : et s'il me fallait revenir ? si j'avais oublié quelque chose ? si les choses ne se déroulaient pas comme prévu ? Jim, je le savais, rentrait souvent très tard, parfois pas du tout. Cette clef, pour moi, était précieuse. Je la gardai. Je n'aurais qu'à dire que j'avais oublié, dans l'excitation du départ, de la laisser derrière moi.

Un autre se serait sans doute arrangé de ce petit mensonge ; il y a des drames autrement plus sérieux dans la vie. Mais moi, cet incident était venu me tracasser à plusieurs reprises au cours de mon séjour en Irlande. J'avais même tenté de joindre Jim par téléphone, mais les communications entre les deux pays prenaient un temps fou et au bout de dix ou quinze minutes d'attente dans une cabine téléphonique où je grelottais, je finissais par me dire que cette histoire ne méritait pas l'attention que je lui accordais. Après tout, Jim pouvait fort bien se faire tailler un autre double de sa clef, ce n'était pas bien compliqué.

C'est juste au moment où j'en arrivais à cette conclusion rassurante qu'un nouveau doute surgissait en moi : puisqu'il pouvait si facilement en obtenir une autre, pourquoi Jim m'avait-il demandé expressément de lui rendre la clef que j'avais ? Il aurait pu aussi bien ne rien dire, attendre simplement que je la lui remette, me le rappeler au besoin à la dernière minute. Mais non : il m'en avait parlé la veille de mon départ, à un moment où nous étions tous deux bien à jeun, et il avait arrangé clairement les détails du scénario selon lequel je la lui rendrais. Comment pouvais-je croire maintenant qu'il n'attachait pas d'importance à cette clef ? Ce n'était plus un simple instrument de métal servant à faire fonctionner le mécanisme d'une serrure : c'était un symbole chargé de sens multiples, et je n'en avais pas fini avec lui.

Je n'irais pas jusqu'à dire que tout au long de mon voyage cette clef fut au centre de mes préoccupations ; simplement, elle était là, dans mes bagages, et j'avais l'impression qu'un fil infiniment extensible y était attaché, qui me reliait toujours à Londres. Lorsque je tombais sur elle en défaisant mon sac ou lorsque, par association d'idées, son existence me revenait à la mémoire, je ressentais toujours un malaise, que je m'efforçais de chasser le plus rapidement possible.

Maintenant, ce malaise, je l'éprouvais à nouveau. Installé dans un pub, à proximité de chez Jim, je téléphonais et retéléphonais à l'appartement pendant que l'heure avançait. Aller coucher à l'hôtel alors que j'étais à deux pas de chez lui et que j'avais la clef dans mon sac me paraissait ridicule. J'étais même certain que Jim, l'apprenant, se moquerait de ce comportement, tout comme il s'était moqué de moi quand, arrivant chez lui la première fois, j'avais laissé mes bagages à la consigne par crainte de déranger. Pourtant, pénétrer chez lui en son absence, alors que je ne devais pas avoir sa clef en ma possession, me paraissait plus que discourtois : cela équivalait dans mon esprit à une sorte de viol. Je n'étais pas d'ailleurs sans imaginer les connotations sexuelles qui pouvaient se rattacher à un tel objet, et j'en étais troublé.

Qu'en était-il, au fond, de ma relation avec Jim ? Entre nous, la sympathie avait été immédiate. J'avais débarqué chez lui sur la recommandation de Paul, qui l'avait connu à l'occasion d'un tournage à Londres et l'estimait beaucoup. Il m'avait reçu comme un ami. Nous avions passé de longues heures ensemble, riant, parlant de tout et de rien, nous découvrant de nombreuses affinités, chacun appréciant la présence de l'autre. Cette amitié n'avait rien d'équivoque. Pourtant, par sa spontanéité, et mis à part la dimension sexuelle, elle avait toutes les apparences du coup de foudre. Nous prenions souvent plaisir à discuter tard dans la nuit, fumant un joint de son excellent haschisch, buvant du scotch ou du vin rouge, sautant savamment du coq à l'âne. Beaucoup de choses nous rapprochaient et un sentiment chaleureux, sur lequel il est difficile de mettre un nom, s'était créé de façon singulièrement rapide entre nous.

Il est vrai que j'arrivais dans la vie de Jim à un moment où les deux êtres qui y tenaient le plus de place en étaient l'un et l'autre absents. Bob, son seul véritable ami, méditait en Inde depuis quelques semaines déjà et Judith, qui travaillait dans un hôpital, s'était retrouvée depuis peu intégrée à une équipe de nuit, ce qui rendait ses horaires difficiles à partager. Je l'avais néanmoins rencontrée à quelques occasions. C'était une grande rousse à l'allure décidée qui avait le don de me déconcerter. Dès notre première rencontre, elle avait profité d'un moment où nous étions seuls pour m'interroger sur mes habitudes sexuelles et me confier que son phantasme favori consistait à s'imaginer faisant l'amour avec trois hommes. Je ne savais trop si je devais voir là une invitation mais je constatai bientôt qu'il s'agissait pour elle d'un sujet de conversation tout à fait naturel. Jim, de son côté, me laissa entendre que sa relation avec elle tirait à sa fin, si bien qu'un soir où, après un souper fort agréable, nous écoutions tous les trois de la musique au salon, je finis par m'enhardir et me mis à caresser doucement les seins de Judith étendue près de moi sur le tapis, espérant voir Jim se joindre à nos jeux. Mais, au bout d'un moment, elle retint ma main et je compris que quelque chose n'allait pas. Je levai les yeux et aperçus Jim qui nous regardait d'un air blessé. Je m'excusai, ne sachant trop quoi dire. Nous avions fumé et la drogue me rendait inapte à porter quelque jugement que ce soit sur ce qui venait de se passer.

S'il m'en garda rancune, Jim n'en laissa rien paraître au cours des jours qui suivirent et je considérai l'affaire close. C'est seulement lorsque je quittai Londres et qu'il me redemanda la clef de l'appartement que j'eus le sentiment qu'il me retirait sa confiance, comme s'il craignait que notre relation prenne un sens qu'elle n'avait pas à ses yeux, ou comme s'il voulait me signifier la distance qu'il tenait à maintenir entre nous.

Voilà donc ce qui m'avait suivi durant mon séjour en Irlande et qui maintenant refaisait brusquement son apparition. Voilà pourquoi je n'osais pas m'installer chez Jim en son absence et pourquoi je téléphonais et retéléphonais, espérant toujours que son retour à la maison vienne me tirer de cet embarras ; espoir toujours déçu qui me laissait amplement le temps de retourner dans ma tête tous les termes du problème sans parvenir à y trouver une solution. Finalement, quand le pub ferma ses portes, que je me retrouvai sur le trottoir avec le choix de prendre le train pour Londres et d'y trouver un hôtel ou de marcher quelques pas et m'installer chez Jim, je me décidai pour cette dernière solution.

Après l'Irlande, après cette misère noire, cet étouffement, cet écrasement que j'y avais éprouvé, l'appartement me parut merveilleusement confortable. J'y pénétrai d'abord avec précaution. Il y régnait ce silence particulier aux lieux qui n'ont pas été habités depuis longtemps, où l'on ne fait que passer à la sauvette, pour prendre une douche ou changer de vêtements. J'étais parti depuis quinze jours peut-être, pourtant j'aurais juré que certains objets se trouvaient encore là où je les avais laissés, la bouteille de Southern Comfort sur le comptoir de la cuisine (Jim détestait le Southern), un disque de Dylan appuyé contre le pied d'un fauteuil au salon. Dans la chambre d'ami que j'avais occupée, je retrouvai mes souliers près du lit, exactement comme à mon départ. Je ne sais pourquoi, cela me procura une espèce de bonheur, l'impression attendrissante de me retrouver chez moi. Je m'étendis quelques instants sur le lit pour savourer ce moment.

Une seule chose manquait encore pour que ma satisfaction fût complète : une douche chaude, ce luxe que je n'avais pas connu depuis longtemps. C'était aller encore plus loin dans le viol symbolique des lieux et sans doute, par extension, de leur propriétaire, mais puisque le pre-

mier pas était franchi, aussi bien aller jusqu'au bout. Dans
la salle de bains, je me débarrassai de mes vêtements
avec l'impression de m'extraire de croûtes épaisses que
je jetais par terre sur le sol dallé et je restai longtemps
sous le jet d'eau trop chaude qui transformait peu à peu
la pièce en sauna. Puis je crus entendre des bruits et mon
cœur battit plus fort. Je fermai les robinets, écoutai : la
maison était silencieuse. Je m'essuyai avec la serviette
éponge de Jim puis j'enfilai sa robe de chambre qui traî-
nait sur un crochet. « Tu exagères », me dis-je. Je la remis
à sa place. Nu, je revins à ma chambre, appréciant chaque
sensation. Hier encore j'étais à Dublin, dans un appartement minuscule, avec des meubles sans âge, un lit au
matelas mou, un chauffage précaire, une baignoire sur
le palier, servant pour tout l'étage. Ici, c'était l'extase :
température exquise de l'appartement, douceur affolante
des tapis, contrôle discret de l'éclairage, tout concourait à
créer ce sentiment, jusqu'au mouvement exact des portes
sur leurs pentures et au déclic précis et mat des pênes
glissant dans les serrures…

Je m'enveloppai comme d'une toge d'un édredon léger
qui recouvrait le lit et redescendis au salon. Je me versai
un scotch, allumai la télévision. Il était près d'une heure.
J'avais envie d'un bon joint. Je fouillai dans la cachette
de Jim, que je connaissais. Bientôt toutes mes cellules
devinrent érectiles et un plaisir vibratoire m'envahit. Mon
imagination se débloqua, ma mémoire se mit à jouir et

je glissai doucement vers le rêve, comme si mon cerveau
était devenu un pénis qu'une douce main aurait frotté
et caressé lentement.

Jim ne rentra pas cette nuit-là.

❖

Le lendemain soir, je soupai avec lui. Il avait l'air content
de me revoir ; j'étais bien heureux de le retrouver. Son
charme, son élégance me séduisirent à nouveau. Je me
sentais bien en sa présence, j'avais l'impression que nous
nous connaissions depuis longtemps. Le fait que Paul
fût un ami commun expliquait peut-être en partie cette
familiarité ; pourtant, nous ne parlions jamais de Paul.

J'avais rejoint Jim à son bureau. Il m'avait invité dans
un petit restaurant des environs. Rapidement, comme
on se décharge d'une faute, je lui avais avoué que je
m'étais installé chez lui. Dans ses yeux, je vis passer
l'ombre d'un mécontentement. Cela dura une seconde,
et à nouveau son regard brilla de malice.

— Ah bon, dit-il. Quel sans-gêne, tout de même, ces
Canadiens français !

— Jim, je suis désolé…

J'étais vraiment malheureux. Jim s'amusait. Cette
façon aimable de nous injurier à travers des défauts que
nous attribuions par extension à tout le peuple dont nous
faisions partie s'était établie spontanément entre nous
et nous nous y étions tout de suite trouvés très à l'aise.

Énoncées généralement avec la plus grande correction, les pires insultes avaient le don de nous mettre de bonne humeur. Nous en profitions pour exorciser les vieux restes de haine qui subsistaient certainement quelque part entre les âmes de nos deux peuples. Quant à ce que cela pouvait révéler sur la structure profonde de notre relation, je pense que nous préférions l'un et l'autre ne pas y réfléchir.

À mesure que la soirée avançait, le vin rouge me rendait plus volubile. Je racontai mes tribulations d'auto-stoppeur, mes problèmes de parapluie, ma rencontre avec Kate et comment j'avais failli devenir irlandais. Jim ne comprenait pas pourquoi je l'avais quittée quand tout allait si bien, pourquoi je n'avais pas profité de l'occasion pour rester un peu, un mois ou deux, le temps de connaître vraiment le pays, puisque j'avais déjà des amis, des entrées dans le milieu du théâtre, une jolie fille qui offrait de m'héberger. Finalement, il mit mon retour sur le compte de « la pusillanimité fondamentale du Canadien français ». Nous commencions à avoir assez bu. Nous étions bien et, si j'avais cru un moment que Jim avait été contrarié par mon installation clandestine dans son appartement, je voyais maintenant que tout cela était sans gravité. De toute façon, il y vivait de moins en moins. Il avait gardé cela pour la fin : il avait une nouvelle maîtresse.

— Et Judith ? dis-je.

— Bien sûr, Judith. C'est le problème.

❖

Jim offrit de m'héberger à nouveau, le temps que je trouve un moyen de transport vers l'Inde. Je m'installai donc chez lui, cette fois avec son assentiment, et me mis aussitôt à la recherche de renseignements. Deux jours, trois tout au plus, et j'aurais quitté Londres.

La déception ne fut pas longue à venir. Il n'y avait pas de Magic Bus avant février. D'autres transports à prix réduit ? On ne savait pas. On me suggérait une autre agence ; j'y allais, c'était fermé. Ou bien l'agence avait déménagé. N'existait plus. Je traversais et retraversais la ville avec des adresses inscrites sur des bouts de papier. Un autobus pour New Delhi ? On me regardait comme une bête curieuse. Je faisais le tour des associations d'étudiants : les départs de vacances pour la période des Fêtes étaient réservés depuis longtemps. Ailleurs on me disait que j'étais trop vieux. On me laissait sentir qu'à mon âge on avait les moyens de prendre l'avion, on réservait son hôtel à l'avance. Ou bien on restait chez soi.

J'avais les moyens de prendre l'avion, c'était facile. On étalait son argent sur le comptoir, la fille en uniforme tapait quelque chose sur le clavier de son terminal et douze heures plus tard on débarquait à Bombay. Ce n'était pas l'idée que je me faisais d'un pèlerinage.

Je voyais Noël approcher comme une menace. Partout le magasinage des Fêtes battait son plein, les gens passaient les bras chargés de cadeaux, excités, fébriles. J'allais à contre-courant, une fois de plus je me sentais ridicule et misérable. Je me traînais d'un kiosque d'information à une agence de voyages, d'une agence maritime à un consulat, cherchant des renseignements que personne ne semblait pouvoir me donner, perdant peu à peu mon assurance.

Si j'avais quitté Dublin avec le sentiment de faire ce que j'avais à faire, ce sentiment s'évanouit bientôt. Malgré mes efforts méritoires pour conserver à ma vie une trajectoire précise, quelque chose d'extérieur à moi me résistait. J'écrivis à Kate une longue lettre, que je ne postai pas mais qui me fit du bien.

Je voyais Jim de moins en moins souvent. À son bureau, l'approche des vacances provoquait un redoublement d'activité. Ses amours avec Ruth l'occupaient beaucoup. Il continuait à voir Judith. Était-ce bien cela ? J'avais l'impression que quelque chose d'autre dans notre relation avait changé, que ma présence l'ennuyait. Je m'étais mis dans la tête que mon comportement l'avait blessé plus qu'il n'avait voulu le montrer, que je l'avais déçu, peut-être, et qu'il s'arrangeait pour m'éviter. Il ne rentrait ni en soirée ni pour dormir. J'étais de plus en plus souvent seul, tournant en rond dans Londres et dans mon cerveau. Mes recherches de renseignements étaient au point mort : je ne partirais pas avant Noël, j'en avais pris mon parti.

Je me mis à traîner dans l'appartement, laissant peu à peu le découragement m'envahir. Je restais de longues heures devant la télévision. Dans cet état d'esprit, j'avais tendance à abuser du scotch et du haschisch, et si cela réussissait parfois à me mettre de bonne humeur, le ramollissement qui en résultait réveillait aussi mes tendances à la paranoïa. Je me perdais facilement dans des analyses de ma relation avec Jim où je ne parvenais plus à faire la part du réel et celle de l'imaginaire. Et qu'est-ce que la réalité quand on a le temps d'y réfléchir ?

Pourtant, lorsque je le voyais, Jim demeurait toujours le même charmant compagnon. Il passait parfois en coup de vent à l'appartement, ou même à l'occasion m'invitait à prendre un verre en ville ou dans un pub des environs, le Gipsy Queen, que j'affectionnais pour son nom, son décor de mauvais goût et sa faune hétéroclite. Il n'en laissait rien paraître, mais j'avais de plus en plus le sentiment d'abuser de son hospitalité. Maintenant qu'il devenait évident que je ne partirais pas avant Noël, la situation se présentait sous un jour différent. Vint un moment où je sentis que je devais faire quelque chose. Je parlai vaguement de me trouver une chambre à Londres. Jim parut presque soulagé. Il me présenta Ruth, qui cherchait un locataire.

Quelques heures plus tard, sans même avoir vu la maison, j'étais décidé à m'installer chez elle. Cela arrangerait tout le monde. Le loyer était modique, je pourrais vivre comme je l'entendais et partir quand j'en aurais envie. Ruth parviendrait plus facilement à joindre les deux bouts et Jim retrouverait l'occupation exclusive de son appartement. Comment aurais-je pu refuser ?

2

LA MAISON DE BRIQUE, plutôt banale, bordait une
rue tranquille. Jim vint m'y conduire un matin,
avant de se rendre à son travail. Il faisait froid, le ciel
était couvert, je me sentais parfaitement désespéré.

Ruth m'attendait. C'était une fille d'une beauté excep-
tionnelle, avec de grands yeux d'un bleu très pâle et un
sourire resplendissant. Ce sont d'ailleurs ces yeux et ce
sourire qui m'avaient, avant toute chose, convaincu de
déménager chez elle.

Elle m'accueillit gentiment, me fit visiter les lieux.
Elle habitait le second étage, trois pièces plutôt petites
et assez sombres : une cuisine, qui servait aussi de salle à
manger, un salon au mobilier sommaire et la chambre que
j'occuperais. Les trois pièces débouchaient sur une espèce
de petit vestibule d'où une échelle permettait d'accéder
à l'atelier de Ruth, une pièce curieuse, agréablement

éclairée par trois fenêtres et un puits de lumière, et qui lui servirait de chambre pour la durée de mon séjour.

Partout sur les murs, de petites esquisses charmantes, parfois encadrées, le plus souvent fixées au moyen d'une épingle, rappelaient qu'en plus d'être belle Ruth avait beaucoup de talent. Mais comment se faisait-il qu'elle vive dans un endroit aussi ordinaire ? Après l'appartement de Jim, vaste, confortable — et gratuit ! —, j'avais l'impression de retomber bien bas. Décidément, j'avais imaginé autre chose, et tout en faisant la conversation avec Ruth j'essayais de comprendre comment Jim avait pu raisonner pour m'envoyer ici. Si c'était pour se débarrasser de moi, j'aurais préféré plus de franchise...

Mais peut-être ne voyait-il pas les choses de la même manière. Amoureux de Ruth, peut-être trouvait-il l'appartement charmant, bohème ; et peut-être croyait-il nous accommoder tous les deux, elle et moi, en me fournissant à moi une compagnie agréable pour me distraire de ma déprime et en lui procurant à elle un locataire en qui elle pouvait avoir confiance. Après tout, je ne donnais pas moi non plus l'impression d'être bien riche, et c'était peut-être le genre de chambre que je méritais vraiment. Une chose en tout cas me paraissait certaine : je n'étais pas heureux d'être là. Mais il était trop tard pour reculer.

Ruth se préparait à partir pour son cours de dessin. Elle m'offrit un café. Beaucoup de vaisselle sale encombrait le comptoir de la cuisine. La table n'avait pas été desservie. Elle fit une place pour moi dans ce désordre, rinça une tasse, mit de l'eau à chauffer dans une casserole sur la cuisinière. Je me rappelai tout à coup les premiers mois avec Angèle, rue Laval, la grosse boîte de carton qui nous servait de table, les trois assiettes dépareillées et combien nous étions heureux dans ce dénuement...

Le pot de café instantané et le sucre étaient sur la table. Ruth versa l'eau dans la tasse, m'offrit du lait, s'excusa :

— Voilà, je dois partir. Tu fais comme chez toi. J'espère que tu te plairas ici !

— J'en suis sûr, dis-je.

J'étais convaincu du contraire. Son sourire, sa beauté achevaient de me rendre malheureux parce que je savais que je n'avais aucune chance de lui plaire, qu'il ne s'agissait que d'une version modifiée du supplice de Tantale, que je ne pourrais que la regarder et souffrir d'être seul.

Quand elle ouvrit la porte, un chat jaune se précipita en miaulant à l'intérieur de la maison et se dirigea sans hésitation vers la cuisine.

— C'est Léonard, dit-elle. Est-ce que tu aimes les chats ?

— Beaucoup, répondis-je, sans préciser que, malheureusement, j'y étais allergique.

❖

Je pris possession de ma chambre et commençai à déballer mes affaires. Ici, la décoration révélait une influence

différente : photos de moines tibétains en robe orange,
de temples suspendus au milieu des nuages, gravures
indiennes représentant Krishna, le dieu bleu, ou Ganesha,
le dieu à tête d'éléphant. Près du lit, sur une petite table
recouverte d'un carré de soie mauve, un gros Bouddha
servait de brûle-encens. Juste à côté, dans un petit cadre,
une photo : un jeune homme souriant, au front haut, aux
pommettes saillantes, tenant Ruth par la taille : Bob,
l'ami dont Jim m'avait parlé.

Oui, Jim était devenu amoureux de Ruth pendant que
son meilleur ami cherchait la vérité quelque part dans
l'Himalaya ; c'est ce qu'il avait fini par me confier. Mais il
avait des excuses : d'abord entre Ruth et Bob les choses
n'allaient plus très bien. Ruth était jeune, elle avait envie
de vivre, elle n'était pas prête à tout quitter pour aller
s'accroupir devant un gourou et passer ses journées à lui
masser les pieds en chantant inlassablement un inusable
mantra (« *cosmic jingle* », selon l'expression ironique de
Jim). Et puis, il avait bien essayé de lui résister, à Ruth.
Et elle aussi, de son côté. Seulement, l'attirance était
trop forte. Quelque chose les poussait l'un vers l'autre
et à cela il n'y avait rien à faire. Tout le monde était
déchiré, tiraillé, horriblement malheureux, mais le courant les emportait avec une force irrésistible. Le karma,
voilà à quoi il fallait s'en prendre, la terrible destinée
télécommandée par les vies antérieures.

Je pensais à tout cela en rangeant mes vêtements par piles sur le plancher. Comme c'était bon, cette vie de désirs, de serments faits sans réfléchir, de mensonges, ces envies, ces plaisirs volés, goûtés dans la fébrilité, ces instants fugitifs et intenses. Bob était un imbécile, avec sa Vérité, et moi aussi qui marchais sur les mêmes traces.

Le chat revint de la cuisine, sauta sur l'appui de la fenêtre et commença une toilette minutieuse. Je me retins de le caresser pour ne pas provoquer inutilement une réaction d'allergie que j'espérais pouvoir éviter. Dehors, la même grisaille froide et humide bouchait le ciel.

Tout à coup, sans avertissement, je fus saisi par un profond sentiment d'angoisse. Angoisse ? Cela n'avait pas de nom. Des mouvements sur lesquels je n'avais aucun contrôle se produisaient soudain à l'intérieur de mon cerveau, et ces mouvements me révélaient tous la même chose : l'horreur de ma situation. Je compris violemment l'erreur que j'avais faite en acceptant la proposition de Jim : cet appartement faisait de moi un pauvre type, minable, mal pris, un type qu'on dépannait. Voilà comment les autres me voyaient. Moi, écrivain en voyage, séducteur d'Irlandaises, grand buveur de scotch, moi dont le sort était enviable, étendu sur le tapis devant la télé couleur, la tête pleine de rêves et de fumée, ayant laissé derrière moi femmes, parents, amis et exercices de style, voilà ce que j'étais en réalité : un pauvre minable, pas débrouillard pour deux sous, logé chichement dans un appartement dont personne ne voulait, à vingt kilomètres du centre de Londres, dans une banlieue plate, ne sachant quoi faire ni où aller, incapable surtout d'entrer en contact avec les gens et se réfugiant dans les livres faute de savoir vivre.

J'avais l'impression d'être prisonnier, prisonnier non seulement de cette maison mais de l'univers lui-même, prisonnier de ce personnage médiocre dont personne ne se souciait, que personne n'aimait, qui aurait aussi bien pu disparaître sans que cela change quoi que ce soit. J'étouffais, il fallait que je bouge, que je fasse quelque chose. Je ne pouvais rester là une minute de plus, assister plus longtemps à la destruction de mon propre cerveau. Une envie folle, irrésistible, de sauter dans le prochain avion pour n'importe où s'empara de moi. Je voulais revenir à Montréal auprès de mes amis, retourner à Dublin auprès de Kate, me retrouver tout nu sur la plage de Goa, n'importe quoi plutôt que de rester pris dans cette maison ordinaire, dans ce destin sans intérêt.

Je me levai, je déposai sur le lit la somme dont nous avions convenu pour le loyer, j'entassai pêle-mêle mes choses dans mon sac et sortis en vitesse comme si j'avais le feu à mes trousses. Dehors, il tombait à présent une petite neige fine. Je refermai la porte et marchai rapidement en direction de la gare. D'être parti, d'être à nouveau en route, d'avoir mon sac sur l'épaule, mon argent dans mes poches et la liberté d'aller où je voulais, cela me soulagea un peu. La gare était loin, il y avait un pub en chemin, j'y entrai. En évitant de croiser le regard du barman que je ne me sentais pas en état de soutenir, je commandai d'abord un gin, que j'avalai rapidement, puis une bière. Je sentais toujours l'espèce de frétillement dans mon cerveau, comme si des circuits inconnus s'étaient mis en marche, comme si des liquides mystérieux y circulaient. Je bus encore. J'essayai de mettre un peu d'ordre dans mes idées. Je ne pouvais pas retourner à Montréal, céder au premier mouvement de panique, revenir la mine basse comme un vaincu. J'étais parti pour six mois, il me fallait tenir le coup. Mon orgueil m'interdisait de rentrer. Retourner à Dublin, retrouver Kate, passer Noël avec elle ? C'était tentant, mais de toute évidence une erreur. On ne revient pas en arrière, la page était tournée : c'est ce que j'aurais dit à n'importe qui. Alors quoi ? Partir sur les routes, deux jours avant Noël, sans itinéraire précis, sans point de chute, seul parmi tous ces gens en fête, à la merci d'une nouvelle crise comme celle que je venais de vivre ? Ici, au moins, je serais avec Jim et Ruth et Judith. Je rencontrerais des gens. Déjà j'étais invité pour le réveillon de Noël, pour le souper du jour de l'An. Je commandai une autre bière. Ça n'allait pas si mal. Je partirais après le jour de l'An, voilà tout. Il suffisait de se faire à l'idée. Une semaine, ce n'était pas si long.

Quand je revins à la maison, j'étais presque joyeux.
Je déposai mon sac dans un coin de la chambre, repris
l'argent sur le lit : rien n'y paraîtrait. Et puisque je
restais, aussi bien jouer le jeu, acheter des cadeaux. Je
sortis à nouveau, décidé à me mettre dans l'esprit des
Fêtes. Dans les rues, les gens s'amusaient de la neige
légère qui tombait maintenant à plein ciel.

❖

24 décembre. La cuisine étincelait de propreté. J'avais
donné un coup de main à Ruth, un peu malheureux
d'être repris par le cycle sordide des tâches ménagères et
que ma relation avec la Beauté du Lieu se limitât à cet
exercice ; mais j'avais trop bu la veille et je trouvais là
un moyen efficace de me forcer au calme et à la sobriété.

Le ménage fini, assis devant une tasse de thé, de part
et d'autre de la table, Ruth et moi attendions Jim. J'attendais Jim, plus exactement, car ce soir nous allions
réveillonner avec Judith, ce que Ruth, bien sûr, ignorait.
Resplendissante à son habitude, elle me parlait de sa
famille. Elle venait d'un milieu plus qu'aisé, dont elle
s'était éloignée volontairement depuis qu'elle avait atteint
sa majorité. Son père pourtant l'adorait. C'était un bel
homme d'une cinquantaine d'années qui occupait un
poste important au gouvernement et qu'on disait dur
dans ses relations avec les employés ; mais pour Ruth, il
aurait fait n'importe quoi. Le départ de sa fille l'avait

d'abord choqué, puis il lui avait pardonné, cherchant encore à la couvrir de cadeaux, qu'elle refusait obstinément. Quant à sa mère, née dans une bonne famille, elle n'avait jamais connu autre chose que le luxe et s'imaginait faire des heureux autour d'elle en participant à toutes sortes d'œuvres charitables, sans se rendre compte un instant de l'humiliation que sa beauté, son aisance, ses bonnes manières, le timbre de sa voix même infligeaient aux pauvres gens qu'elle voulait aider. Elle croyait fermement que le devoir des riches était d'assurer aux pauvres le nécessaire. Pas une seconde elle ne remettait en question cette répartition inégale des richesses.

— Je l'ai déjà vue, dit Ruth, donner sa veste à une pauvre femme. C'était tragique, cette femme en haillons, aux yeux éteints, aux cheveux cassés, portant cette veste à la coupe impeccable qui valait une fortune. Mais maman ne s'apercevait de rien. Elle la regardait avec fierté et je suis sûre qu'elle se disait : « Voilà ce qu'il faut faire, voilà comment, si chacun y met un peu du sien, nous pouvons tous ensemble construire un monde meilleur. »

Ruth avait coupé le cordon. Elle payait elle-même ses études, elle n'était pas riche, plutôt endettée. Mais elle avait ce qu'elle voulait, elle volait de ses propres ailes, elle était en contact avec la vie réelle, la vie de tout le monde, la vie de tous les jours. Elle travaillait un peu, faisait des dessins de mode pour un couturier, ami de la famille, qui croyait à son talent. Et puis elle me louait

cette chambre, la chambre de Bob. Elle ne croyait pas
que Bob reviendrait, de toute façon, elle ne croyait pas
qu'il reviendrait habiter avec elle. Trop de choses les
séparaient au départ et, surtout, ils n'allaient pas dans la
même direction. Ce que Bob cherchait, ce n'était pas la
vie, mais bien plutôt la mort. Ce qu'il appelait le bonheur, ce n'était pas la plénitude, pas l'enthousiasme, pas
la création, mais l'absence de passion, le Vide. Finalement Bob n'était pas un artiste, ne comprenait rien aux
artistes. C'était un homme religieux, moral, un peu puri-
tain au fond, qui avait la nostalgie du presbytérianisme
qu'il avait rejeté et qui en cherchait une sorte d'équivalent dans les mystiques orientales.

J'écoutais Ruth attentivement, sans pour autant m'in-
téresser vraiment à ce qu'elle disait. Est-ce que j'étais déjà
trop vieux ? Est-ce que j'étais comme Bob un homme du
silence, un homme de la mort ? Les détails s'ajoutaient les
uns aux autres, pleins d'importance pour elle, pour moi
sans grande conséquence. C'était une autre vie, sans plus.
Des projets, des ambitions, quelques doutes. Parfois Ruth
me demandait mon opinion. J'étais d'accord avec elle.
J'aurais aussi bien pu dire que je pensais le contraire,
pour moi cela revenait au même. Toutes les opinions se
valaient, j'en étais là dans ma philosophie, incapable de
m'accrocher à une certitude, à un amour, à une passion
qui m'aurait permis de m'affirmer, de prendre position,
de lutter, de crier, de taper du poing sur la table.

Ruth crut déceler chez moi une certaine tristesse. Je ris. Elle s'en étonna, trouva dans mon rire quelque chose d'amer. Cela me fit rire encore plus, d'un rire sans joie qui pourtant réussissait à me mettre réellement de bonne humeur. Une certaine tristesse… Quel euphémisme !

J'étais désespéré, parfaitement désespéré, désespéré au point d'être mort, inexistant, j'aurais pu me rouler à ses pieds, me traîner sur le sol en hurlant sans parvenir à exprimer ce que je ressentais. Une certaine tristesse… Et comment faire pour ne pas être triste ? Tout était toujours tellement semblable, tellement prévisible, tellement inutile…

Allons, le moment de boire était sans doute venu, le moment de finir ce thé et de passer aux choses sérieuses. Je la regardai encore, qui m'observait avec ses grands yeux. Elle était si belle, on aurait dit un ange, promenant autour d'elle le regard innocent d'un enfant. Mais pourquoi se souciait-elle de moi, de Bob, de ses père et mère, pourquoi se souciait-elle de mots, de sentiments, d'idées qui n'avaient rien à voir avec elle, qui avaient été inventés par toutes sortes d'êtres inférieurs et misérables qui n'étaient pas de la même espèce qu'elle ? Pourquoi sentait-elle le besoin d'éprouver tout cela, de s'abaisser à tout cela, alors qu'elle n'avait qu'à dessiner, à peindre, à sourire, à exprimer par tout son être la Gloire de Dieu ?

Jim arriva juste à temps. Je ne serais jamais parvenu à expliquer à Ruth ce que je ressentais, ni même à lui faire comprendre que je n'étais ni heureux ni malheureux, pas du tout concerné par ces catégories, simplement désespéré et, malgré tout, le plus optimiste des hommes. Jim l'embrassa, la tint un moment dans ses bras, admira sa robe, puis s'adressant à moi déclara qu'il nous fallait partir à l'instant, que les routes étaient mauvaises, que je devais immédiatement cesser de boire et de me comporter comme un Canadien français sans dignité. Après quoi il m'aida à finir ma bière et me conseilla d'apporter une serviette, une grande serviette, car il y avait un sauna chez Bella, où nous allions. Ruth nous dit adieu, nous souhaita un joyeux Noël. Elle allait réveillonner chez ses parents qu'elle n'avait pas vus depuis quatre mois.

3

J'AIMAIS BIEN BELLA, la sœur de Jim. Nous avions passé toute une journée ensemble à visiter les sites les plus connus de Londres, de Hyde Park à Buckingham Palace, en passant par Big Ben et Trafalgar Square. Comme son frère, elle avait un bon sens de l'humour, mais j'avais l'impression de vivre dans un univers étranger au sien. Bella faisait un bien curieux guide. Au fond, elle n'aimait pas Londres. Cette ville faisait partie de son passé. Depuis, elle avait découvert autre chose : l'Inde, elle aussi. L'Inde où elle avait vécu quatre ans et où elle serait restée jusqu'à la fin de ses jours si son gourou ne l'avait renvoyée assumer son karma dans le monde. C'était la seule, l'unique raison pour laquelle elle se trouvait ici, méditant plusieurs heures par jour, disciplinée, un peu prosélyte, souriante et distante tout à la fois.

Avec Bella, les conversations se tenaient toujours en équilibre sur l'étroite barrière qui sépare le monde visible du monde invisible, et c'est par-dessus cette barrière que nous discutions. Là où je voyais la vie brute et primaire d'hommes matériels habités par des désirs sexuels et des besoins d'argent, elle essayait de me montrer des âmes, de pauvres âmes incarnées dans des corps lourds et maladroits. Là où je voyais l'histoire, la lutte des classes, les jeux de pouvoir, elle me décrivait des anges auréolés de bonté et remplis de compassion, ou des forces machiavéliques à l'œuvre dans le monde, déchirant des peuples entiers, tout cela finalement pour la plus grande gloire de l'Amour suprême, chacun d'entre nous décapant peu à peu son regard des couches de l'ignorance, apprenant à voir tous les paliers de la réalité, revenant incarnation après incarnation, s'extrayant à grand renfort de travail et de volonté du carcan étroit des passions, gravissant l'échelle des chakras jusqu'à l'espèce d'éjaculation lumineuse de l'énergie purement spirituelle.

Je l'écoutais, ébahi, puis elle éclatait de rire et se moquait de moi. Je ne savais plus trop sur quel pied danser. Je me disais que j'avais bien du chemin à faire si je voulais arriver un jour à la rejoindre là où elle était et je me demandais en même temps si faire tout ce chemin m'intéressait, si je n'aimais pas mieux pouvoir entrer dans un pub et me saouler la gueule comme bon me semblait, sans me buter continuellement à tous ces interdits qui marquaient à leur façon la voie vers la libération ultime.

Notre promenade ce jour-là s'était achevée sous une pluie diluvienne qui nous avait surpris au moment où nous traversions Tower Bridge, sans un endroit où nous mettre à l'abri. Nous nous étions retrouvés trempés, ruisselants, essayant de conserver notre sourire. J'étais pour ma part convaincu que le ciel n'approuvait pas notre rencontre.

◈

Bella habitait chez des amis dans une immense demeure bourgeoise, en pierre, de construction assez récente. « Que c'est laid ! », s'exclama Judith, que nous avions prise en chemin. « Mais comment Bella fait-elle pour vivre ici ? »

Nous fûmes accueillis par une dame d'un certain âge que Jim nous présenta comme l'hôtesse des lieux. Elle nous embrassa en nous appelant par nos prénoms et nous invita à déposer nos manteaux sur un lit où s'entassait déjà toute une pile de vêtements. Oh ! Nous avions apporté des serviettes ? Excellente idée ! Le sauna était si agréable ! Et moi, je n'avais que cette petite serviette-là ? Eh oui, c'était la seule que j'avais dans mes bagages, mon sac n'était pas très grand ; mais je me sentis gêné tout à coup comme si, pour une obscure raison, la taille de ma serviette s'apparentait à celle de mon sexe et qu'on se moquait gentiment de moi.

Notre hôtesse nous invita à passer au salon. C'était une très grande pièce, meublée de plusieurs sofas et de nombreux fauteuils, et où se trouvaient rassemblées une quarantaine de personnes. Il était décoré pour la circonstance de guirlandes roses et blanches avec des bougies dorées aux flammes vacillantes et, dans un angle, un arbre de Noël tout blanc. Une musique de sitar flottait partout, enveloppante et douce. Rassemblés par petits groupes, les invités poursuivaient leurs conversations à voix feutrée.

Bella nous aperçut et vint aussitôt à notre rencontre. Des gens derrière elle nous regardaient avec des sourires remplis d'aménité. J'étais surpris par l'âge de tout ce monde ; personne ici n'avait moins de trente ans. Jim, Judith et moi étions les trois plus jeunes. Bella nous invita à nous asseoir et nous offrit du vin. Les verres étaient minuscules, à peine assez grands pour des enfants. J'étais inquiet : j'avais évité de boire en prévision d'une soirée mouvementée ; maintenant je regrettais ma prudence.

Jim connaissait quelques personnes, qu'il alla saluer. Judith le suivit. Je ne savais trop si je devais me joindre à eux. Finalement, je m'installai sur une chaise près de Bella. J'eus à peine le temps d'échanger quelques mots avec elle qu'elle me quitta pour accueillir d'autres invités, m'abandonnant ni tout à fait à l'écart ni tout à fait à l'intérieur d'un petit groupe. J'étais trop loin pour me

mêler à la conversation, trop près pour faire semblant
de ne pas entendre. J'adoptai une attitude à mi-chemin,
une sorte d'écoute distraite qui pouvait se confondre
avec une absence polie.

J'observais en même temps avec curiosité tous ces
inconnus. La plupart des hommes portaient veston et
cravate. Certains, malgré leur âge, étaient assis par terre,
sur des coussins, jambes croisées à l'indienne. Plusieurs
avaient les cheveux gris ou le crâne dégarni. Les femmes,
en général, étaient plus jeunes. Quelques-unes étaient
fort jolies, habillées avec soin mais sans élégance. Si tous
paraissaient se connaître, il ne semblait pas pour autant
y avoir de couples. Tout le monde avait ce même air que
j'avais déjà remarqué chez Bella : un regard un peu
illuminé, des yeux brillants, un sourire doux et avenant.
Si je n'avais su qu'ils pratiquaient la méditation, je les
aurais probablement pris pour des opiomanes ou des
mangeurs de haschisch.

Une dame remarqua mon verre vide et offrit de m'en
apporter un autre. J'acceptai sans hésitation. Elle vint
s'asseoir près de moi dans le fauteuil laissé libre par Bella
et la conversation s'engagea poliment. Bientôt nous
parlions de l'Inde, qu'elle connaissait. Un pays superbe,
magnifique. Malgré la pauvreté, la mendicité, la misère,
l'horreur quotidienne. Tout cela passait au second plan, il
y avait autre chose, une autre dimension. On ne pouvait
pas comprendre cela ici, en Occident. Il ne fallait pas

juger avec nos mentalités d'Occidentaux. Il fallait y aller, je verrais, je comprendrais là-bas. Cela ne se décrivait pas avec des mots, cela s'insinuait en vous, s'emparait de vous, quelque chose d'insolite et qui en même temps semblait dormir là, au plus profond de vous, depuis toujours. Une sorte d'apaisement, une réconciliation.

Mon verre était vide à nouveau. Mon interlocutrice avait à peine touché au sien. Je ne pouvais empêcher mon regard d'y revenir avec insistance. La lenteur du service m'inquiétait. Combien de temps allais-je encore devoir rester sobre ? Je fumais cigarette sur cigarette, non sans une certaine gêne, même si cela ne paraissait pas interdit. J'avais aussi apporté un joint que je tâtais parfois à travers la poche de ma chemise, pour me rassurer.

Jim n'était plus dans la pièce, Judith non plus. Désespérément, je les cherchais du regard. J'imaginai qu'ils avaient gagné le sauna. Où était-ce ? Où était Bella ? Il allait falloir que je me lève, que je m'excuse, que je traverse la pièce, que je me renseigne. Dites-moi, j'ai apporté ma petite serviette, savez-vous où est le sauna ? Je ne parvenais plus à prêter attention à ce que disait ma voisine. Notre conversation était tombée en panne entre un bûcher funéraire et un moulin à prières, et elle s'entretenait maintenant, m'ayant à moitié tourné le dos, avec un homme chauve et légèrement bedonnant qui était assis à quelque distance de nous. De toute façon, je n'avais plus envie de parler anglais et je commençais à avoir mal aux lèvres à force d'essayer de sourire comme elle, en faisant briller mes yeux.

J'allais me lever lorsqu'une dame aux cheveux argentés, très grande, très droite et très digne, réclama le silence. Allions-nous tasser les chaises pour danser un set carré ? Jouer à la bouteille, à la queue de l'âne ? Entonner tous ensemble le *Minuit, chrétiens* ? Avec des tournures de phrases charmantes et excessivement polies, la dame aux cheveux argentés demanda si nous aimerions entendre le message de Noël du gourou, une cassette qu'elle avait reçue le jour même d'un ashram au nom impossible, et que nous pourrions écouter tous ensemble en cette occasion si particulière, dans cette maison si accueillante. Avec joie, semblait-il, d'après les exclamations et les rires qui fusèrent de partout.

J'étais moi-même assez curieux d'entendre enfin la voix d'un vrai gourou. Cela me parut un signe : à mi-chemin de mon voyage, la voix ; au terme, le gourou tout entier. Je regrettais simplement de ne pas avoir eu le temps de remplir mon verre, mais au moins il se passait maintenant quelque chose de différent, de nouveau, d'un peu étrange. Je n'étais pas venu pour rien. De toute façon, après le message, le vrai *party* allait sans doute commencer.

La dame installa la cassette. Comme il arrive souvent en ce genre d'occasion où l'on aimerait que les choses s'enchaînent avec facilité, elle éprouva quelques problèmes avec l'appareil. Un homme vint l'aider, joua avec les boutons, débrancha et rebrancha quelques fils : curieusement nasillarde, la voix du gourou s'éleva, au grand soulagement de l'assistance. Il parlait lentement, découpant bien ses phrases. Le ton était simple, chaleureux, sans prétention mais empreint de dignité. Il ne s'agissait pas d'une autre conversation frivole et anodine. Le gourou nous salua, nous parla un peu du décor qui l'entourait, de la rivière qu'on entendait en bruit de fond, et de nos vies, banales, mélangées de bonheur et de tristesse, sentiments flous, passagers, fluctuants, qui nous échappaient sans cesse. Il nous parla de l'instant présent, celui que nous vivions au moment même où nous l'écoutions. Il nous demanda si nous pensions qu'il y avait un but dans la vie et ce qui se passerait quand nous l'aurions atteint. Il nous laissa imaginer une possible transfiguration de l'existence. Il parla de la naissance de Jésus, de celle de Bouddha, de ce que cela représentait, symbolisait. Du symbole de la lumière.

J'écoutais avec attention. Pourtant, malgré moi, je commençai bientôt à m'ennuyer. L'accent me rendait le propos plus difficile à suivre. Et puis c'étaient encore des mots, et non pas l'expérience même de la vie. Pourtant, je m'en voulais de ne pas vibrer moi aussi comme le reste du groupe, qui s'était figé tout à coup dans une espèce d'immobilité contemplative. Plusieurs avaient fermé les yeux, un sourire bienheureux plaqué sur le visage, comme s'ils avaient été hypnotisés, absorbés par la parole du Maître. Leur drogue. Moi, j'avais mon joint dans ma poche et je n'osais pas le sortir, mon verre était vide et je n'osais plus fumer. J'imaginais Jim et Judith dans le sauna, riant, s'amusant, et c'est là que j'aurais voulu être. Le mysticisme devait-il vraiment être aussi *plate* ? Fallait-il vraiment être propre, sobre, végétarien et un peu niais ?

Le gourou expliquait justement que non, que notre voyage sur la terre — car il s'agissait d'un voyage, d'une exploration, nous étions des visiteurs venus d'ailleurs —, cette visite, ce voyage, devait être pour nous l'occasion de découvrir, de connaître la passion, les rires, les larmes, d'explorer toutes les dimensions de la vie. Nous n'avions pas tous pour rôle de devenir des moines. Il fallait se méfier de l'excès de sérieux. Nous n'étions pas tous tenus de mourir en croix comme le Christ. Ici le gourou plaisanta, il prétendit que si Jésus avait été pendu plutôt que crucifié nous suspendrions aujourd'hui de petits gibets aux portes des églises, aux murs de nos maisons. Un frisson de rire vaguement sacrilège parcourut l'assistance. Le gourou redevint raisonnable, il expliqua que c'étaient là des symboles et que la vie n'était pas un symbole, que la vie n'était pas une représentation, qu'elle était réelle. Mais pour connaître la réalité de la vie, il fallait être soi-même réel. Or nous n'étions pas réels.

Peut-être. Ça ne m'avançait pas beaucoup. Ce que le gourou disait, je l'avais déjà lu, mais comment, comment fallait-il faire ? Par un curieux retournement, dû sans doute à ma perversité, ce discours avait pour effet d'augmenter mon envie de boire. Le gourou parlait depuis trente minutes au moins et cela dépassait les limites de ma capacité d'attention. Je n'écoutais plus, j'attendais avec impatience que la cassette finisse. Est-ce que la cassette était réelle ? Est-ce que la voix enregistrée du gourou était réelle ? Et le gourou ? Et moi, étais-je réel, assis dans ce salon, entouré de gens aux yeux clos qui avaient sans doute quitté leur corps et se promenaient dans un univers astral auquel je n'avais pas accès, à moins que, plus vraisemblablement, ils ne se fussent tout simplement endormis ? J'étais depuis longtemps plongé dans des réflexions de ce genre lorsqu'un changement de voix attira mon attention : quelqu'un remerciait le gourou, celui-ci renouvelait ses bons vœux à tous les disciples londoniens, il y eut des rires, puis un bruit de micro. La dame aux cheveux argentés stoppa l'appareil.

Je m'attendais à un tonnerre d'applaudissements, des cris de joie, une explosion d'enthousiasme, tout le brouhaha d'une récréation. Personne ne bougea. Le silence le plus complet accueillit la fin de l'enregistrement ; à peine y eut-il quelques bruissements de vêtements, quelques froissements. J'avais tiré une cigarette de mon paquet mais je n'osais plus l'allumer. Mes intestins, bien malgré moi, manifestèrent alors leur présence par un gargouillement qui me parut inhabituellement long et sonore. J'entendis un petit rire près de moi. Je tournai la tête : Bella me souriait. Guitare sur les genoux, elle joua quelques accords très lents, puis s'arrêta. Doucement, pour ne pas rompre le charme, elle expliqua qu'elle avait composé une nouvelle chanson et qu'elle aimerait nous la chanter. Elle avait une jolie voix, la mélodie était simple et plaisante. Les paroles disaient que l'homme que nous venions d'entendre était Dieu, qu'elle l'aimait de tout son être et qu'elle lui appartenait à jamais. Les yeux toujours fermés, l'assistance écoutait avec ce qui semblait être de la ferveur. Moi seul me sentais mal à l'aise. Je n'aurais pourtant jamais songé à mettre en doute l'intelligence ni les convictions de Bella, mais j'avais maintenant l'impression de me retrouver au beau milieu d'une secte dont les membres avaient subi un terrible lavage de cerveau. La voix de Bella reprenait sans cesse que son gourou était Dieu, qu'elle l'aimait de tout son être et qu'elle lui appartenait à jamais. Encore et encore elle répétait ce court verset, de façon identique, les mêmes paroles, les mêmes accords, le même rythme un peu traînant, langoureux, pénétrant.

À nouveau l'assistance semblait s'être endormie, retirée dans un autre espace, un autre temps. Je restais seul, parmi ces corps abandonnés, à remettre en question ma présence en ce lieu. Agressif, je me disais que si, à la limite, le gourou était Dieu, comme le prétendait Bella, ce n'était pas une raison pour organiser des *parties* aussi ennuyants. Je pensais à Jim, chantant Cohen ou Dylan, cigarette au coin des lèvres, je pensais aux paroles riches, touchantes, bouleversantes, aux mélodies variées, aux rythmes complexes, je ne pouvais m'empêcher d'opposer cette richesse et cette sensualité des formes à la monotonie répétitive de la complainte de Bella, et j'aimais mieux Jim chantant Bob Dylan que Bella endormant son gourou, j'aimais mieux Jim et Judith dans le sauna que Bella méditant, j'aimais mieux le changement que la répétition, j'aimais mieux le mouvement que l'arrêt, j'aimais mieux la souffrance que l'absence de sentiment, j'aimais mieux la vie que l'éternité.

Bella avait fini sa chanson, à nouveau le silence régnait dans le salon, personne n'avait bougé. Il y avait des bougies allumées ici et là dans la pièce : je me mis à en observer une avec attention. Elle était presque complètement fondue. Posée sur un napperon de papier, elle allait y mettre le feu d'une minute à l'autre. Les méditants, plongés dans leurs limbes, n'y prenaient pas garde. Fixant la flamme, je l'encourageais silencieusement. Une décoration de branches de sapin l'entourait et elle prendrait feu aussi, puis l'abat-jour à côté, le rideau, la bibliothèque derrière, toute la maison peut-être. Nous nous retrouverions tous dans la rue à admirer cet immense brasier et à goûter l'humour cosmique. Voilà ce que je souhaitais, fixant la flamme vacillante et me répétant pour m'en convaincre que je pouvais moi aussi utiliser mes pouvoirs psychiques.

Finalement, tout se produisit en même temps. Un homme aux cheveux noirs, bronzé, souriant, plutôt séduisant, vint embrasser Bella, la remerciant, lui disant d'une voix agréable combien il avait aimé sa chanson. Ce fut comme le signal. Tout le monde s'éveilla, clignant des yeux, s'étirant, se regardant d'un air ravi. Au même moment, le feu commença à entamer la bordure du napperon. Je ne dis pas un mot, surveillant du coin de l'œil ce qui se produirait. Personne n'avait encore rien remarqué. Les gens assis par terre dépliaient leurs jambes et massaient leurs mollets ; on entendait des petits gloussements, des rires. Toute l'attention se portait sur Bella qu'on entourait, qu'on embrassait, et qui répondait à cette admiration avec grâce, sans se prendre au sérieux. Puis, tout à coup, quelqu'un poussa un petit cri. La flamme était maintenant bien visible, menaçante, grimpant dans les aiguilles de sapin, comme je l'avais souhaité, et je regardais, incrédule, mon rêve devenir réalité. L'hôtesse, qui était tout près, se précipita. Sans hésiter, elle s'empara d'un grand bol de punch encore à moitié plein et le jeta sur la flamme qui s'éteignit aussitôt. Elle se mit à rire, étonnée elle-même de sa présence d'esprit et de la rapidité de sa réaction. On la félicita de son réflexe. C'était raté. J'allumai une cigarette, déçu, avec l'impression d'avoir perdu la partie. L'optimisme souriant et bête triomphait, sans parler du punch gaspillé. Tout allait pour le mieux dans le meilleur des mondes, encore une fois mon esprit négatif me donnait tort, comme s'il ne suffisait pas d'être désespéré et qu'il fallait en plus s'en sentir coupable.

Les gens se levaient, allaient et venaient dans la maison. Des plateaux de nourriture se mettaient à circuler. Je me levai aussi, mon verre vide à la main, ne sachant trop où aller, me dirigeant à tout hasard vers la cuisine, entre les groupes qui se reformaient. Parfois quelqu'un me souriait au passage, je lui rendais son sourire, plus seul que jamais. Je calculais l'heure qu'il pouvait être à Montréal, j'imaginais les joyeux réveillons qui allaient débuter, je pensais à Angèle sous la neige, avec un autre sans doute.

Tout à coup Judith apparut devant moi, tout excitée.

— Qu'est-ce que tu fais ? Où étais-tu ?

En essayant de rendre la chose comique, je lui racontai comment j'avais été pris au piège et catéchisé malgré moi. « Dommage », dit-elle. Puis, m'entraînant un peu à l'écart, posant sa main sur mon bras, elle m'expliqua en vitesse, comme si elle ne pouvait retenir plus longtemps cette révélation, qu'elle m'avait cherché partout, qu'ils avaient été au sauna et que, si j'avais été avec eux, elle aurait pu enfin réaliser son phantasme : ils étaient trois, il ne manquait que moi et j'avais tout raté à cause de ces imbéciles et de leur gourou. Maintenant c'était trop tard et avant qu'une occasion pareille ne se représente...

« Tu vois, c'est lui », me dit Judith en m'indiquant de la tête un homme qui parlait avec Jim. Étrangement, c'était le même qui tout à l'heure avait mis fin à la méditation communautaire en venant remercier Bella pour sa chanson... Jim le laissa, vint nous rejoindre. Lui et Judith étaient d'excellente humeur, très amoureux, très à l'aise, s'empiffrant au passage dans les différents plateaux, se bourrant de délicieux petits hors-d'œuvre végétariens, se servant sans aucune gêne de grands verres de vin dans des verres à eau. Bella s'approcha à son tour, ravie de les voir aussi heureux. Se tenant par la taille, ils nous quittèrent bientôt pour aller saluer d'autres invités. Bella les regarda s'éloigner puis me demanda comment je trouvais la soirée.

— Trop propre, dis-je. Je ne crois pas à l'amour de ces gens, à leur bonté. J'ai besoin que le bien se mélange au mal.

— Oh! il y avait du mal ici ce soir! dit Bella. C'est simplement que tu ne l'as pas vu.

Elle rit, de son rire charmant. Qu'avait-elle voulu dire, que savait-elle? De quoi voulait-elle parler? Des gens se joignirent à nous, la conversation bifurqua et la soirée continua tout doucement sans que j'aie de réponse à ma question. À minuit, il fallut s'embrasser, se souhaiter joyeux Noël avec enthousiasme. Puis, peu à peu, les invités partirent. Jim et Judith vinrent me chercher alors que j'étais en grande conversation avec une dame d'une cinquantaine d'années : je parlais contre le gourou, contre la religion et toute cette mascarade, ce qui l'amusait beaucoup. J'avais enfin atteint un degré d'ivresse raisonnable mais il était trop tard, la soirée était terminée.

Jim me déposa chez Ruth. La maison était noire, silencieuse, presque épeurante. J'allumai une allumette, trouvai le commutateur. À la cuisine, je me servis une bière, je fumai enfin le joint que j'avais toujours dans ma poche. Un peu étourdi, un peu assommé, je regagnai ma chambre. Sur la porte, Ruth avait punaisé un grand carton où elle avait écrit à la peinture rouge, en français et avec une belle grosse faute :

JOYEUSE NOËL !

Elle avait ajouté des enjolivures dorées et des feuilles de houx vertes. C'était gentil, vraiment gentil. Joyeuse Noël, Ruth, joyeuse Noël à toi aussi !

J'avais envie de pleurer. Je me jetai tout habillé sur le lit et je m'endormis.

4

LA SEMAINE qui s'écoula ensuite me parut particulièrement longue. Je ne partirais pas avant le 3 janvier ;
cela représentait huit longues journées où je n'avais rien
d'autre à faire que d'attendre.

Chaque matin au réveil, chassant les rêves de la nuit,
une tristesse diffuse m'envahissait. C'était le fantôme
d'Angèle qui venait me hanter. Il se glissait près de moi
sous les couvertures, m'apportant le souvenir de nos
matins joyeux. L'image qui me revenait le plus souvent
était celle de notre chambre, rue Laval, avec un rayon de
soleil tombant sur le matelas posé sur le sol et Angèle
toute nue m'expliquant les merveilles de la vie ou chantant sur des airs connus des paroles qu'elle inventait à
mesure et qui célébraient nos ébats de la nuit. Son énergie, sa gaieté, son enthousiasme, sa bonté m'apparais-
saient en creux, leur manque me faisait terriblement

souffrir. Je me levais déjà fatigué, poussant sur ma fatigue comme sur un poids.

Le plus clair de mes énergies, je l'utilisais à ne pas sombrer dans le découragement, à lutter contre le sentiment que les jours que je vivais étaient des jours définitivement perdus. Des jours à jamais ternes, qui s'effaceraient de ma mémoire aussi complètement que s'ils n'avaient jamais été vécus. Des jours, et cela je le savais bien, qui n'étaient pas transfigurés par la lumière de l'amour.

Le matin, souvent, je restais à la maison. Je déjeunais à la cuisine avec Ruth. Nous mangions des toasts avec de la marmelade d'oranges et buvions du café instantané. Puis, elle montait travailler à l'atelier. Alors, j'avais moi aussi envie de faire quelque chose. Je m'installais dans la chambre, sur le lit, bien appuyé sur quelques coussins, et j'essayais d'écrire. J'entrepris successivement un article sur l'Irlande, une chanson en anglais pour Jim, qui parlait d'une Gipsy Queen et d'un Crystal Palace, puis je commençai une nouvelle. C'était le souvenir d'une de mes premières nuits avec Angèle. Déjà j'en étais follement amoureux et, pour la première fois de ma vie peut-être, j'avais l'impression qu'il m'arrivait des choses comme il n'en arrive que dans les romans.

Ce soir-là, elle m'avait entraîné dans un bar de troisième ordre où elle m'avait présenté tous ses amis et où nous avions bu plus que de raison. Je ne sais trop comment, je m'étais coupé au poignet sur un éclat de verre. La blessure était superficielle mais le sang coulait, beau et rouge, sur ma main. Dans un geste théâtral, Angèle avait relevé sa robe et déchiré un morceau de son jupon noir qu'elle avait enroulé autour de mon bras. J'avais été bouleversé par cet incident : le bar étrange, le verre brisé, le sang, la dentelle noire. Je lui avais dit : « Angèle, si je pars maintenant, pendant que nous nous connaissons à peine, si je te quitte pour toujours, si je n'essaie jamais de te revoir, si je ne garde de toi que ce souvenir, je suis sûr que je pourrai écrire le plus beau poème d'amour du monde. » « Alors vas-y, m'avait-elle répondu, si tu crois que c'est cela que tu dois faire. » Je m'étais levé, je l'avais embrassée une dernière fois, j'étais rentré chez moi. Le lendemain, le plus beau poème d'amour n'était pas écrit et je m'étais fiévreusement lancé à sa recherche. Peut-être maintenant, après toutes ces années, avais-je quitté Kate pour la même raison. Au fond, la vie ne m'intéressait pas, seule la littérature m'intéressait, et ce qui dans la vie ressemblait à la littérature. C'était à la fois ma perte et mon salut.

Finalement, ni la nouvelle, ni l'article sur l'Irlande, ni la chanson pour Jim ne furent écrits eux non plus. Je n'avais nullement l'énergie qu'il fallait et je me perdais bientôt dans toutes sortes de rêveries dont la plus facile consistait à imaginer l'œuvre finie, la critique séduite et Angèle m'embrassant avec dans les yeux un éclair de complicité. La seule entreprise d'écriture que je parvins à mener à terme fut un patient relevé de tous les titres de la bibliothèque de Bob. Il n'y en avait qu'une centaine, mais ce qui m'impressionnait, moi qui fréquentais beaucoup les librairies, c'était que je ne connaissais pas le dixième de ces auteurs. Il y avait là pêle-mêle Gurdjieff, Krishnamurti, Swedenborg, Maître Eckhart, Karlfried Durkheim, Rudolf Steiner, Chôgyam Trungpa, Castaneda, Huxley, Watts, Sri Aurobindo, D. T. Suzuki, Ma Ananda Moyi, Swami Ramdas, Alexandra David-Néel, Mme Blavatsky et bien d'autres.

Pourquoi ces livres demeuraient-ils cachés ? Peut-être était-ce là pourtant les seuls livres importants, ceux qui auraient dû se trouver dans toutes les bibliothèques, ceux qui auraient pu aider les gens à être heureux. Peut-être... Tant de livres, et nous ne savions toujours pas d'où venait le langage, ce qu'il était. Nous l'utilisions pour commander des sandwiches, pour décrire des matches de hockey, pour raconter des blagues. Mais il nous échappait toujours. Il était là, comme parallèle à la vie, se développant indépendamment, élaborant des structures de plus en plus audacieuses, englobant des espaces de plus en plus vastes, immense bulle se gonflant d'elle-même, en perpétuelle expansion, sans limites finalement, comme un autre univers.

Je terminai ma liste sans omettre un seul titre, fier de réussir enfin quelque chose, de me rendre au bout d'une de mes entreprises. Je la glissai dans une lettre à Angèle, pour lui donner une idée du monde étrange que je côtoyais, que je me préparais à explorer.

Écrire à Angèle, c'était une chose dont j'étais toujours capable, même s'il m'arrivait rarement de lui poster ce que j'avais écrit. Lorsque je me relisais, tout cela m'apparaissait comme un vain et futile bavardage qui ne réussissait jamais à transmettre l'essentiel de ce que je vivais ; et si jamais je m'approchais de l'essentiel, je me trouvais grandiloquent, emprunté et faux. Il aurait donc fallu que je me dépêche de jeter les lettres à la poste, toutes chaudes, comme je venais de les terminer ; mais je ne m'y résignais pas, tenant à me relire pour savoir si j'avais bien réussi à communiquer ce que je voulais lui dire, à lui faire sentir l'amour que j'avais toujours pour elle, tout en la libérant de toute obligation à mon égard, car je voulais que cet amour aille jusque-là, jusqu'au renoncement à son objet, jusqu'au détachement de l'amour par amour. Je voulais qu'elle sache le désarroi et l'obscurité dans lesquels je me retrouvais loin d'elle, hors de sa lumineuse présence, mais sans qu'elle éprouve aucun regret à me voir ainsi perdu et dépouillé puisque c'était de cette façon qu'il fallait que ma destinée s'accomplisse. Elle seule, je le croyais, pouvait comprendre ces sentiments. Mais lorsque je me relisais, leur prétendue noblesse me paraissait tout à coup douteuse, je ne parvenais pas à croire que je fusse si différent des autres, je me

soupçonnais moi-même d'hypocrisie et je me moquais
de ma présomption. La lettre déchirée allait rejoindre
les autres.

◈

Mes journées s'écoulaient ainsi. Vers midi, j'avais droit
à une première bière, que je buvais discrètement à la
cuisine, sans trop attirer l'attention de Ruth. Le reste
s'enchaînait généralement de lui-même : je plongeais
dans l'alcool comme dans une rédemption et l'euphorie
de ce début d'ivresse me donnait envie de me sentir mieux
encore. Dans la chambre de Bob, devant la fenêtre à
demi ouverte, je fumais un premier joint qui provoquait
chez moi mille idées merveilleuses. Les projets les plus
extraordinaires tourbillonnaient alors dans mon esprit,
jaillissant avec une telle force et une telle fécondité que
je n'arrivais pas à en mettre un en marche sans que déjà
mon cerveau ne soit sollicité par un autre. Cela durait
trois quarts d'heure, une heure. J'avais à peine le temps
de commencer un poème, de marcher jusqu'à un cinéma,
de vérifier l'adresse d'une exposition, déjà l'enthousiasme
m'abandonnait. Je me retrouvais abattu, toute mon
énergie sucée par la drogue. Je passais au vin rouge, au
gin, au scotch, pour prolonger l'effet, créer un second
cycle, atteindre un deuxième sommet. Je mangeais du
chocolat pour compenser tout le sucre que mon cerveau
avait brûlé ; cela me ramenait un peu trop sur terre, il

fallait que je fume à nouveau, que je boive encore un peu plus. Je me retrouvais au pub, avec des imbéciles qui n'avaient rien à dire. J'essayais de sortir de ma tête, je savais bien qu'il fallait que je touche à quelqu'un, à quelque chose de réel, pour ne pas sombrer dans le découragement, ne pas rester pris dans les ornières de mon propre conditionnement. Mais ce n'était pas toujours facile. Le plus souvent, je m'isolais, à l'abri dans un coin, écoutant la musique, rêvant. Vers la fin de l'après-midi, je rentrais à l'appartement. Parfois je me masturbais, découragé. Je me couchais, je dormais une heure ou deux.

Le soir, j'attendais qu'il se passe quelque chose. S'il ne se passait rien, je retombais dans le même ennui : drogue, alcool, une euphorie un peu moins joyeuse, un peu plus lourde, puis l'épuisement. Parfois, Jim m'invitait à l'accompagner. Parce que j'étais seul, malheureux de la tournure des événements et incertain de ses sentiments à mon endroit, j'avais l'impression qu'il faisait un effort particulier pour s'occuper de moi, comme on prend en charge un parent éloigné de passage dans sa ville. Pour cette raison, je ne réussissais pas à me sentir spontanément joyeux et j'acceptais toujours ses invitations avec hésitation. Cela créait entre nous une espèce de décalage qui compliquait notre relation. Je ne savais pas si Jim était conscient de tout cela. Il s'occupait probablement de moi aussi bien qu'il pouvait le faire. J'étais si confus que parfois j'avais l'impression qu'il en faisait

trop, et parfois qu'il me laissait tomber. J'analysais beaucoup mes réactions, mes attitudes, mes impressions, mes
sentiments et cela ne manquait pas de se refléter dans
mon comportement. Malgré tout, je l'accompagnais
chaque fois qu'il me le proposait, et c'était toujours dans
le même espoir : rencontrer enfin quelqu'un qui me com-
muniquerait à nouveau ce souffle, cette passion qui me
faisait défaut, quelqu'un au contact de qui je me sentirais
de nouveau dynamisé, énergisé, vivant.

5

LE 1ᵉʳ JANVIER ARRIVA ENFIN. Il faisait un temps doux et gris. Nous étions invités à dîner chez la mère de Jim et chargés de prendre son père en chemin. Les parents de Jim ne vivaient plus ensemble depuis de longues années, mais le repas du jour de l'An était demeuré une tradition dans la famille.

Quand Jim stationna la voiture, Douglas Allister nous attendait devant la maison. Officier de l'armée britannique à la retraite, m'avait dit Jim. Ce titre contenait déjà toute une magie : grand homme droit aux tempes grises, l'œil bleu et clair, la mâchoire volontaire, l'humour séduisant. L'homme que j'avais devant moi ne ressemblait pas à ce portrait. Courbé, maladroit, il s'appuyait sur une canne et portait des lunettes noires à monture épaisse, comme un vieux dictateur en exil. Une femme lui donnait le bras, le soutenant autant qu'elle se tenait à lui : Betsy, sa compagne depuis plus de dix ans. Elle faisait maintenant elle aussi partie de la famille.

Je descendis de l'auto et cédai ma place à M. Allister. Jim l'aida à s'installer. Son père se déplaçait d'autant plus difficilement qu'il s'était récemment brisé la clavicule droite et devait faire attention à ses mouvements. L'histoire racontée par Bella lors de notre promenade à Londres me revint tout à coup à la mémoire. Il avait glissé en venant lui répondre et était demeuré inconscient derrière la porte. Elle paniquait de l'autre côté et ne savait plus quoi faire. Finalement, après de longues minutes, il avait repris ses sens et lui avait ouvert. « Il a beaucoup vieilli, disait Bella. C'est comme si tous les abus qu'il a fait subir à son corps étaient remontés à la surface d'un seul coup. » Il buvait, m'avait-elle confié, il buvait beaucoup trop.

Betsy s'assit à côté de moi, à l'arrière. C'était une femme qui avait peut-être été jolie, sans plus. Elle était plutôt lourde, dénuée de grâce, avec des cheveux teints d'une couleur tout à fait artificielle, un blond jaunâtre qui lui faisait comme une mauvaise perruque. On sentait qu'elle attachait peu d'importance à son apparence. Son maquillage était hâtivement fait, comme pour se débarrasser. Pourtant, de ses yeux émanait quelque chose de poignant, une sorte de tristesse lucide et désespérée, comme si elle disait : « Je sais, j'aurais aimé moi aussi être belle, vivre une vie de star, courir le monde et l'aventure, mais ce n'était pas mon destin. Ce que vous voyez, c'est ce que la vie a fait de moi, pas ce que je voulais faire de ma vie. »

Nous roulions doucement en suivant la Tamise, à travers la campagne figée sous un beau gel transparent, lumineux malgré la grisaille du ciel. Jim parlait à son père comme un fils dévoué s'adressant à son géniteur vieillissant. Il s'intéressait à sa santé, lui faisait quelques remontrances pleines de tendresse, s'informait de parents éloignés qu'il ne fréquentait plus. La disposition des sièges et la présence des appuie-tête ne favorisait pas beaucoup la conversation à quatre. Au début, M. Allister s'était tourné assez péniblement vers moi, cherchant dans sa vieille mémoire quelques mots de français. « Comment êtes-vous, mon vieux ? » Mais la position n'était pas très confortable et les mots lui firent rapidement défaut.

Betsy s'intéressait à moi, tout impressionnée que je sois un écrivain, que j'aie déjà publié des livres. Je n'avais pas beaucoup envie d'en parler, je détournai la conversation sur son travail à elle. Elle était comptable. En réalité, elle n'était même pas comptable, elle ne faisait qu'additionner des chiffres toute la journée, des colonnes de chiffres. Elle le faisait parce qu'elle y était obligée, parce qu'elle devait gagner sa vie, mais elle détestait cela, elle en avait vraiment assez. Elle avait tenté de se suicider, le mois précédent. Elle me le dit comme ça, de but en blanc, comme elle m'aurait dit qu'elle avait eu la grippe.

Elle avait avalé des pilules, un tas de pilules, elle ne savait pas combien. Elle ne les avait pas comptées, justement. Et elle avait survécu, après deux jours dans le coma, entre la vie et la mort. « Au fond, dit-elle, il aurait mieux valu que je meure. »

Elle était plus ivre que je ne le croyais. J'avais remarqué qu'elle sentait un peu l'alcool, une agréable odeur de dry gin, mais elle m'avait paru parfaitement maîtresse d'elle-même. Depuis quelques minutes, elle se laissait aller. Peut-être se disait-elle que, puisque j'étais écrivain, je pourrais comprendre, que je ne la jugerais pas. Peut-être aussi qu'elle s'en foutait, tout simplement. Elle avait quarante-huit ans, elle était malheureuse, sa vie était d'une grande platitude, il n'y avait pas d'espoir que ça change et elle avait tenté de se suicider ; si ça ne faisait pas mon affaire, si je trouvais quelque chose à redire, qu'est-ce que ça pouvait bien lui faire…

Elle se mit à regarder par la fenêtre, se referma sur elle-même. Je craignis de l'avoir blessée, de n'avoir pas eu la réaction qu'il fallait. En fait, je n'avais pas eu de réaction. J'aurais peut-être dû lui dire, puisque nous en étions à parler de grippe, que moi aussi, un jour… Mais elle se retourna vers moi, presque joyeuse : « Nous arrivons ! », dit-elle.

❖

C'est Mme Allister qui vint nous ouvrir. Elle paraissait quinze ans plus jeune que son mari. Grande, souriante, élégante, elle faisait preuve à son égard de la même sollicitude que j'avais pu observer chez Jim. Bella apparut derrière elle, tablier autour de la taille, puis un gros chien s'amena, sautillant sur trois pattes, la quatrième toute raide, agitant la queue avec enthousiasme. Tout le monde le caressa tour à tour. Il s'appelait Winston.

— Ne le laissez pas mettre ses pattes sur vous, dit Mme Allister. Il est terriblement mal élevé.

Elle nous invita à passer au salon. Jim offrit l'apéritif. J'aperçus plusieurs bouteilles d'alcool de toutes sortes dans un petit bahut et je me sentis rassuré. M. Allister et Betsy s'en tinrent au gin tonic, j'optai pour un martini. Le salon était une pièce plutôt petite, trop petite en tout cas pour les meubles sombres et lourds qui l'encombraient. On devinait facilement qu'ils provenaient d'une résidence antérieure et dataient d'une époque où les Allister avaient été plus à l'aise financièrement. Des photos sur les murs racontaient l'histoire de la famille. J'y reconnus Jim à 20 ans, Jim à 15 ans, Jim à 10 ans, bébé Jim, en compagnie de Bella, de papa, de maman. Jim me fit parcourir cet album, y ajoutant ses commentaires. Devant une photo de son père en jeune et fringant officier : « Voici p'pa après sa victoire sur Rommel » ;

devant une photo de noces de ses parents : « Voici p'pa avec l'impératrice de Libye ». Enfoncé dans son fauteuil, M. Allister hochait la tête, sans qu'on puisse savoir s'il s'agissait d'un signe d'approbation ou de mécontentement.

Betsy s'était désintéressée depuis longtemps de cette excursion dans le passé. Son verre à la main, le regard fixe, elle semblait perdue quelque part à l'intérieur d'elle-même. Tout à coup, elle dit : « Moi, je n'ai pas de souvenirs. Je vis dans le présent. » Dans sa bouche, cette petite phrase me parut terrible. L'instant présent n'était pas beau à voir. L'instant présent, il aurait mieux valu ne pas y être, mieux valu y échapper, se réfugier dans les souvenirs. Personne ne releva la remarque de Betsy. Bella, qui venait de déposer un plateau de hors-d'œuvre sur la table, se retira à la cuisine en faisant mine de ne pas être concernée. Jim laissa la petite phrase tragique et dérisoire couler comme un nageur qui se noierait dans l'indifférence générale. « Betsy, tu ne devrais pas boire autant avant le repas », dit simplement M. Allister.

Il y eut un moment de silence, dont le chien profita pour venir réclamer un peu d'attention. Puis M. Allister se tourna vers moi : « Alors, Jim me dit que vous êtes écrivain ? » La question supposait que je réponde autre chose que simplement oui. J'expliquai donc que j'étais un jeune écrivain qui n'avait pas encore accompli grand-chose. Jim m'interrompit pour préciser que j'avais déjà publié trois livres. M. Allister demanda de quel genre de livres il s'agissait. J'étais bien embêté. Ce n'étaient pas des poèmes en tout cas, pas des romans non plus, à vrai dire. J'essayai d'être drôle : c'étaient des livres, des livres avec des mots, assez de mots pour faire assez de pages pour mettre une couverture autour, et mon nom dessus. Je sentis que je n'étais pas très convaincant. J'essayai de me rattraper en disant que c'étaient des livres plutôt humoristiques. Voilà quelque chose à quoi on pouvait se raccrocher. M. Allister me parla aussitôt de Jonathan Swift, de Mark Twain, d'Oscar Wilde. Je ne les avais pas lus. En fait mes livres n'étaient pas vraiment des livres humoristiques, peut-être aurions-nous pu parler plus justement de livres fantaisistes. Fantaisistes ? Bon. Personne n'avait la moindre idée de ce qu'un livre fantaisiste pouvait être. M. Allister parla des *Mille et une nuits*. Il nous en résuma l'argument : une femme doit inventer chaque nuit une nouvelle histoire pour échapper à la mort. « Moi je n'ai pas beaucoup d'imagination, dit Betsy. Je serais morte la deuxième nuit, ou la troisième. »

M. Allister connaissait les Arabes, il avait vécu avec eux. Il nous expliqua l'histoire du livre, de sa composition. Il nous apprit que le vrai nom d'Aladin était Ala-al-Din. Puis il nous parla du Vieux de la Montagne et des haschichins. Mme Allister vint nous rejoindre au salon et nous invita à passer à la salle à manger. Avec beaucoup de difficulté, prenant appui sur Jim et sur moi, M. Allister réussit à s'extraire de son fauteuil.

❖

Malgré tout ce qu'on a pu dire de la cuisine anglaise, le repas me parut excellent : agneau à la menthe, pommes de terre vapeur, salsifis frits, et du vin en abondance. Au dessert, M. Allister leva son verre à ma santé : « Heureuse année, mon vieux. » Ces quelques mots de français retrouvés en mon honneur remuèrent ses souvenirs. La Libye de 1942. Rommel, le Renard du désert. Après la guerre, M. Allister avait fait planter plus de dix mille arbres dans le désert de Libye. Grâce à des articles qu'il avait fait paraître dans les journaux de Londres, l'esclavage qui sévissait encore en 1950 avait pris fin. De cela, il était fier. De ces deux choses-là. Et non pas d'avoir tué des dizaines d'hommes, de ses propres mains. D'en avoir fait tuer des centaines, peut-être. C'était la guerre. Il n'y avait pas de quoi être fier. Mais dix mille arbres plantés en Libye, oui, pour vaincre le désert... Voilà ce qu'il écrirait s'il était écrivain comme moi, M. Allister. Voilà ce que je devrais écrire, ce qu'il fallait dire. Dix mille arbres en Libye et des dizaines de morts, et pas fier...

Écrire, écrire, écrire... Je me demandais si j'y parviendrais un jour. Plusieurs fois, chez Ruth, j'avais cru le moment venu, le fruit mûr. J'avais sorti crayons et papier, je m'étais installé confortablement. Je rêvais à tous ces écrivains qui entraient dans leurs livres comme dans un vaste théâtre et qui inventaient des personnages si vivants, si extraordinaires, si attirants. Et moi, par je ne sais quel masochisme, j'étais toujours aux prises avec la réalité la plus plate, que je ne voulais pas transfigurer, que je m'ingéniais à réduire à ses dimensions les plus banales, à ses détails triviaux, à l'ennui. Je finissais toujours par crayonner de vagues dessins sur le papier.

« Moi, dit Betsy, si j'écrivais, j'écrirais des… j'écrirais des… des romans d'amour. C'est ce qui se vend le mieux, les romans d'amour. »

Elle me demanda si je vendais beaucoup de livres. Non ? Eh bien, je devrais écrire des romans d'amour. C'était payant, les romans d'amour.

Elle avait vraiment beaucoup bu. Elle reposa sa question : est-ce que je vendais beaucoup de livres ? « Deux mille exemplaires, trois mille si tout va bien », dis-je. Ça m'ennuyait, cette façon de parler de la littérature, mais Betsy était comptable, il fallait bien que je lui donne quelque chose à compter.

— Ridicule ! s'exclama M. Allister en français, toujours en souvenir de la Libye. Il faut vendre dix mille, cent mille exemplaires, sinon ce n'est pas la peine.

Mme Allister les regarda presque tendrement tous les deux, ses deux pauvres ivrognes, ou bien c'était de la pitié. Pour elle, la question était réglée depuis longtemps :

on devrait pouvoir changer de mari chaque année, comme le faisaient avec leur femme les Touaregs, les beaux Hommes Bleus du désert.

— Moi je suis fatiguée de compter, dit Betsy, je compte toute la journée. Toute la journée, des colonnes de chiffres, il faut que je les additionne. Ah! s'il fallait que j'additionne tous les verres que j'ai bus, et toutes les bouteilles que j'ai bues, s'il fallait que je les additionne…

Elle ne termina pas sa phrase, on ne sut pas ce qui serait arrivé si elle avait additionné tout cela.

— Une nuit, j'étais en sentinelle, commença tout à coup M. Allister.

Jim eut un geste pour le retenir, puis laissa faire. Je devinai que cette histoire, il l'avait entendue cent fois.

— Nous étions là depuis sept mois, stationnés en plein désert, avec des hommes tués toutes les nuits. Il faisait noir, le ciel était plein d'étoiles. J'avais froid. Dans le désert, les nuits sont froides. Tout à coup j'entends un bruit, un frôlement d'étoffe derrière moi. Un Arabe, avec une dague. Je m'esquive d'un mouvement d'épaule. Il me rate de peu. Je sors mon pistolet et je tire, à bout portant, sans réfléchir. Parce que j'avais eu peur, comprenez-vous? J'ai eu peur et je l'ai détesté de m'avoir fait peur et j'ai tiré parce que je le détestais, je le détestais terriblement, de tous les pores de ma peau.

Il regarda ses deux mains, dans un geste théâtral.

— C'était un de mes propres hommes, un Arabe.

— Moi, je ne l'aurais pas tué, dit Betsy.

C'est tout ce qu'elle dit, elle dit ça comme ça, puis elle se remit à boire.

— Voilà ce que vous devriez écrire, continua M. Allister. Je l'ai tué parce qu'il m'avait fait peur, c'est pour ça que je l'ai tué.

J'étais un peu mal à l'aise, je ne savais vraiment pas quoi dire. C'est Betsy qui me tira d'embarras. Tout à coup très lucide, elle regretta l'état dans lequel elle s'était mise et nous demanda de l'excuser : elle était malheureuse, sa vie était difficile, mais elle savait bien qu'elle n'avait pas à nous ennuyer avec ça. Mme Allister l'assura que tout irait bien mieux si elle ne buvait pas tant, que cela ne l'aidait pas à se remettre sur pied. Bella abonda en ce sens.

— Je m'en fous, dit Betsy, je ne crois plus à rien.

Bella était scandalisée plus qu'elle ne voulait le laisser paraître.

— Allons, Betsy, dit Mme Allister, il faut vous ressaisir. Vous avez eu un moment de découragement, cela arrive à tout le monde.

— Vous, vous avez une jolie maison, vous avez des enfants, vous êtes en bonne santé, dit Betsy. Vous ne savez pas ce que c'est que d'être malade. Et Douglas est malade aussi et qui me dit combien de temps il va vivre encore et s'il va vouloir me garder et après je me retrouverai toute seule et je n'aurai rien.

— Voyons, dit Bella, c'est le premier jour de la nouvelle année, ne soyons pas si tristes. Vous voyez tout en noir, Betsy, essayez d'être plus positive.

— Positive, dit Betsy, je voudrais bien vous voir à ma place.

Puis elle marmonna quelques mots preque inaudibles et retomba dans sa prostration. Bella haussa les épaules et fit circuler le café.

— Votre réveillon de Noël a été agréable ? me demanda Mme Allister pour relancer la conversation.

Je répondis que oui, sans entrer dans les détails. Bella précisa que j'avais trouvé qu'il manquait un peu de méchanceté chez ses amis.

— À propos, dit Jim, qui est donc ce type aux cheveux noirs qui est venu t'embrasser lorsque tu as fini ta chanson ? Je ne l'avais jamais vu avant…

— Je ne sais pas, dit Bella, je ne le connais pas. Je croyais qu'il était venu avec Mme Cullen, mais je n'en suis pas sûre. Pourquoi me demandes-tu cela ?

— Oh, pour rien, dit Jim.

❖

Après dîner, Betsy se retira dans une chambre pour se reposer. M. Allister s'installa au salon et s'endormit rapidement dans son fauteuil. Bella et sa mère s'affairaient à desservir. J'offris de les aider, mais elles refusèrent.

— Allons promener le chien, proposa Jim.

Il y avait un grand parc situé à peu de distance de la maison. De petites allées en lacets sillonnaient le terrain doucement vallonné. Le givre donnait aux arbres une beauté presque irréelle. Malgré ses trois pattes, le chien sautillait rapidement. Jim le débarrassa de son collier et le laissa prendre les devants. Du ciel couvert, uniformément gris, tombait une pluie si fine qu'on ne remarquait pas tout d'abord sa présence.

Comme toujours, j'avais pris la précaution d'apporter un joint. Je l'allumai. Tout en marchant tranquillement, nous fumions à tour de rôle. Le chien courait loin devant nous, disparaissant parfois complètement de notre vue.

Jim me parla de son père. Il était triste de le voir ainsi diminué. Il n'y avait pas si longtemps encore, c'était un homme vigoureux, qui aimait rire et raconter des histoires. Il s'excusa de m'avoir entraîné dans cette réunion de famille. Je protestai : j'aurais été bien malheureux de rester seul un premier de l'An, et j'appréciais vivement d'être reçu chez lui, d'être traité moi aussi comme un membre de la famille. Je devenais sentimental. J'allais partir dans un jour ou deux. Pour un peu, j'aurais mis mon bras autour de son épaule et je lui aurais dit moi aussi : « Allons, mon vieux... »

— Je me demande qui était ce type, dit Jim.

— Quel type ?

— Le type du sauna. Tu as vu : Bella ne le connaissait pas. Je suis sûr que personne ne le connaissait. Il a dû apercevoir les lumières et entrer. Avec une gueule comme la sienne, personne ne lui a posé de question.

— C'était peut-être un extraterrestre...

— Ou l'Ange du Mal, dit Jim. Je te jure, tout cela s'est passé d'une façon tellement étrange... et tellement naturelle... C'était vraiment étonnant, tu sais, dans cette maison bourgeoise, remplie de gens bien, plongés dans leur méditation, et nous avec cet homme que nous ne connaissions pas du tout.

— Mais tu as aimé ça ?

— Oh oui ! dit-il. Puis il rit de son propre enthousiasme. Mais je n'aurais pas envie de recommencer. Pas tout de suite en tout cas.

— Et Judith ?

— Oh Judith, elle a adoré ça !

— Et tu n'étais pas jaloux ?

— Oui et non, je ne sais pas. J'éprouvais des sentiments très ambivalents, très ambigus. Je pense que nous sommes tombés sur la bonne personne. Il était très doux. Il ne forçait rien, il ne demandait rien. Ce que nous faisions était très agréable. Et puis, tu sais, ma relation avec Judith... (Il fit un signe de la main qui disait que ça n'allait pas très fort.) De l'avoir vue avec un autre homme se pâmer et jouir comme elle jouit avec moi, ses petits cris, son excitation, ça m'a comme débarrassé d'une illusion, de l'illusion que je la possédais, tu comprends ? De l'illusion que j'étais unique, que j'étais...

indispensable. Bien sûr, c'est une chose que je savais déjà, mais disons que je suis passé de la théorie à la pratique.

Machinalement, nous avions ralenti le pas. Le chien gambadait toujours loin devant nous. La pluie petit à petit commençait à pénétrer nos vêtements. Il allait bientôt falloir penser à rentrer.

— En tout cas, j'aurais bien aimé être avec vous plutôt qu'avec les *fans* du gourou.

— Désolé, dit Jim. Je t'emmène toujours dans des soirées ennuyantes. Mais tu sais, si tu avais été avec nous, ça n'aurait probablement pas marché.

Je sentis tout à coup comme une déchirure. Je me sentis exclu, rejeté. Avec moi, ça ne marchait pas. J'aurais dû m'en douter. Toutes sortes de sentiments se bousculaient en moi, toutes sortes de souvenirs plus ou moins oubliés dont je n'avais gardé que la blessure. C'était comme cette histoire de clef, finalement, je ne m'étais pas trompé. Jim m'en avait voulu. Tout ce temps, il avait gardé au fond de lui cette distance avec moi. Il jouait le jeu de l'amitié, mais en même temps il restait en retrait. C'était vrai qu'il m'avait renvoyé de chez lui, vrai qu'il m'évitait. Toutes les excuses que j'avais trouvées, toutes les explications que j'avais fabriquées pour interpréter son comportement n'étaient que de pieux mensonges pour ne pas voir la réalité.

Mon trouble dut paraître sur mon visage. Jim se rapprocha de moi.

— Ne fais pas cette tête-là, dit-il. Je voulais simplement dire que… Oh, allons, oublie ça. J'aurais dû y penser : vous autres, Canadiens français, la drogue vous rend totalement paranoïaques. Bon ! Où est passé ce chien maintenant ?

Nous étions au bord d'une petite rivière que le chien avait traversée mais qui était trop profonde pour que nous puissions en faire autant. Tout heureux de son exploit, il nous regardait de l'autre berge, refusant de répondre à nos appels. Nous marchâmes longtemps le long de la rivière avant de trouver un petit pont qui nous permît de passer sur l'autre rive.

Voyage au Portugal
avec un Allemand

1

S ANS SOUCI pour mon impatience, le train roule lentement dans la campagne française. Il s'arrête partout
dans de petits villages qui vivent tranquillement à
l'écart des capitales. Debout dans le couloir, n'ayant rien
de mieux à faire, je fume cigarette sur cigarette en regardant défiler le paysage. C'est toujours la même chose : des
arbres, des champs, des ponts, des rochers. Des rivières
qu'on traverse. Des camions qui roulent sur des routes
parallèles à la voie ferrée, puis qui disparaissent dans une
courbe. Des cours de fermes, des arrières de maisons, des
petits jardins. Des terrains de jeu où personne ne joue.
Une autre gare.

Aux passages à niveau, j'observe les gens immobilisés
par les barrières : deux ou trois piétons, une Citroën, une
Vespa, un vieux monsieur sur une bicyclette, un chien.
Des employés le long de la voie, appuyés sur le manche

de leur outil, causent en attendant que le train soit passé. Un moment de paix, un arrêt dans la course du monde. Je m'imagine chaque fois vivant dans un de ces villages bénis où les gens vaquent à leurs occupations dans des vies sans heurt, harmonieuses, faites de douces habitudes.

Je reviens m'asseoir à ma place, j'écoute vaguement les propos de deux dames sur la banquette en face de moi. La première est montée à Toulouse, avec une valise légère et un petit chien; elle m'a demandé la permission de s'asseoir dans ce compartiment où j'étais seul sur un ton qui m'a fait comprendre qu'elle n'avait pas l'intention d'engager la conversation. Elle s'est aussitôt plongée dans un livre dont je n'arrive pas à lire le titre. L'autre nous a rejoints plus tard, vieille et fatiguée, cheveux décolorés, avec pour tout bagage un filet à provisions. Elle a d'abord parlé au chien, puis à sa propriétaire. Celle-ci répondait à peine mais ce n'était pas nécessaire, on voyait que la vieille avait l'habitude de parler toute seule. Ou bien elle parlait au chien.

— Ça va trop vite, je leur ai dit que ça allait trop vite. Leur progrès, moi j'y crois pas tellement. J'ai perdu deux doigts à l'usine. Après, ils ont ralenti les cadences.

Elle brandit sa main devant nous, rougeâtre et tout abîmée, à laquelle manquent le majeur et l'index. L'autre dame détourne instinctivement la tête. De ses longues mains fines, elle rapproche d'elle son petit chien et le replace sur ses genoux.

— Deux fois, ça m'est arrivé. La première fois, le chef d'atelier a dit que c'était ma faute. J'ai rien dit. Je voulais travailler. Trois jours plus tard, j'étais revenue à l'usine. Il m'a fait des remontrances. Que plusieurs seraient revenues dès le lendemain. Que j'étais une feignante. J'avais la tête qui tournait, j'ai dit. Je pouvais pas travailler comme ça, pas sur cette machine-là, c'est trop dangereux. La deuxième fois, c'était la faute à la machine. Ils ont pas voulu me croire. Ils m'ont envoyée à l'hôpital. Mais je l'ai vue, moi. C'était comme une bouche de fer toute molle, ils ont pas voulu me croire. Une bouche de fer toute molle, elle a sorti sa langue, elle m'a attrapée par le petit doigt. Après, je ne me souviens pas. Je me suis réveillée à l'hôpital. Ils m'ont fait des électrochocs. Ils ont dit que j'étais folle. Ils m'ont renvoyée. Ils ne voulaient pas m'écouter. Je ne me souvenais plus de rien.

La dame au petit chien montre un intérêt mitigé, curieuse mais tout de même un peu inquiète de la santé mentale de sa vis-à-vis. Assis près d'elles, j'écoute à moitié, le nez plongé dans mon journal. Le monde est sur un pied de guerre. La planète est un baril de poudre, et je me doute bien que, s'il explose, il ne fera pas attention à moi. Quand on se retrouve seul, on voit bien qu'on ne compte pas. La guerre est aveugle.

La vieille aux cheveux décolorés demande encore : « Madame, est-ce que vous savez ce que c'est quand vous avez l'impression de n'être nulle part ? »

Elle descend bientôt dans un petit village et la Toulousaine, soulagée, peut reprendre le fil de ses réflexions. Je sors fumer dans le couloir, le train repart. Quelques bâtiments industriels, des garages, des cours de maisons, des fermes. Dans une courbe, le village que nous venons de quitter, au loin, quelques secondes. J'éteins ma cigarette dans le petit cendrier de la SNCF. Je reste là, appuyé au bord de la fenêtre à moitié ouverte. L'air est encore un peu froid. Je reviens dans le compartiment. La Toulousaine a déposé son livre à côté d'elle et fume en regardant dehors. Moi aussi je pense à toutes sortes de petites choses. C'est terrible les banalités qui nous passent par la tête continuellement, entre deux réflexions, entre deux sentiments. Assis à contresens de la marche, je regarde le paysage qui défile à l'envers et s'enfuit vers un point invisible situé à l'arrière du train, quelque chose qui l'avale, le temps peut-être. Je songe à mes amis, au bon temps passé, à nos soirées au restaurant, au vin rouge qu'on nous servait dans des bocks, je me souviens des rires, des conversations échangées d'une table à l'autre, des chaises qu'on déplaçait pour former et déformer les groupes, des filles qu'on cherchait tous à séduire. Je pense à Angèle, à notre rencontre miraculeuse, inespérée, à tout ce que cela a changé. Je pense aux forces mystérieuses qui nous avaient réunis, auxquelles je continue de croire.

❖

En fin d'après-midi, le train arrive tout doucement à Bayonne. Chacun descend sans se presser et part dans la direction où ses affaires l'appellent. Je ne me sens pas bien, un début de grippe peut-être. Au lieu de faire comme d'habitude, de partir sac sur l'épaule à la recherche de la chambre la moins chère possible, je m'arrête au premier hôtel que je rencontre. Hôtel de la Gare. Deux étoiles. Une chambre avec un bain pour moi tout seul. Le grand luxe.

J'allume le plafonnier. Une lumière jaune éclaire les murs ocre et le mobilier anonyme. Devant la fenêtre, une lourde tenture ne laisse filtrer qu'un peu de lumière grise. Je dépose mon bagage et écarte les rideaux. Petite rue étroite entre les maisons, petites automobiles stationnées en tous sens, à cheval sur les chaînes de trottoir. J'ouvre mon sac et étale autour de moi mes maigres possessions : mon sac de couchage dont je ne me suis pas encore servi et qui occupe presque toute la place ; un pantalon froissé, un chandail, un sac de plastique contenant du linge sale, trois chemises, quelques paires de chaussettes, des sous-vêtements, des souliers de rechange que je n'utilise pas parce qu'ils me font mal aux pieds, mon veston des grands jours qui ne me sert jamais à rien. Et encore : quelques objets de toilette ; ma serviette trop petite ; deux livres en anglais achetés à Dublin ;

une carte d'Irlande et une autre de Londres, que je garde
en souvenir ; quelques papiers ; mon calepin noir où je
prends des notes. Et puis mon imperméable et ce parapluie encombrant que je songe à abandonner bientôt,
dans une gare ou une chambre d'hôtel. Voilà, c'est moi,
ce jour-là. Je ne suis même pas pauvre.

❖

Au restaurant de l'hôtel, je décide de prendre le menu du
jour : potage, moules marinière en entrée, steak, frites,
glace et café. Avec un demi-litre de rouge. Le bifteck
est dur, les frites un peu molles et la glace très ordinaire. Je bois sagement mon demi-litre de rouge. Je sors.
Je fais quelques pas dans le quartier. J'ai froid et je me
mets à frissonner. Finalement, à force de ne pas savoir si
je devais mettre ou enlever mon imperméable, à force
d'avoir trop chaud ou trop froid, à force de fumer dans
le couloir et dans les courants d'air, j'ai fini par attraper
un rhume. Je n'ai même pas la santé qu'il faut pour
courir les routes. Qu'est-ce qui m'a pris de partir ? Était-
ce vraiment nécessaire ?

Je rentre bientôt à l'hôtel et monte me coucher, mais
je reste là dans mon lit les yeux ouverts. Réveillé par le
bruit de la rue tôt le matin, je n'ai dormi en tout que
quelques heures. On dit qu'on émerge du sommeil. J'ai
plutôt l'impression, lorsque j'ouvre les yeux, de m'enfoncer dans l'existence. À travers les cloisons, j'entends la

radio qui joue quelque part, la voix lointaine d'un animateur matinal et enthousiaste. Il est six heures. Partout les gens se lèvent, ils s'en vont travailler. Peut-être, s'ils sont comme moi, se posent-ils la question chaque matin : et si je n'y allais pas ? Mais moi je ne travaille plus, les questions que je me pose sont cent fois pires.

J'allume la lampe sur la table de chevet. Mais qu'est-ce que je fais là ? Est-ce pour ça que je suis parti de chez moi ? Qu'est-ce que je suis venu faire ici ? Mon bagage dérisoire. Le sac de plastique blanc dans lequel j'accumule mon linge sale, chaussettes, caleçons, chemises, entassés les uns sur les autres avec leur odeur humaine, mon odeur. Sur la commode, les cartes que j'ai consultées hier soir. Au rythme où je vais, je ne serai pas au Portugal avant une semaine — et après le Portugal où irai-je ?

Six heures et je suis seul dans mon lit comme je suis seul sur la terre. Je viens de me réveiller et je n'ai absolument envie de rien, sinon de dormir encore, longtemps, toujours. Je ne sais pas où je vais, je ne suis utile à personne. Je n'ai aucune obligation, on ne m'attend nulle part et je pourrais aussi bien rester là toute la journée, ça ne changerait rien. Ça serait seulement plus pénible.

Il va falloir que je me lève et je n'en ai aucune envie. Je sais déjà tout ce que je vais faire : ouvrir les tentures, laisser entrer un peu de lumière dans la chambre, prendre mon bain, enfiler des vêtements un peu froissés dans lesquels j'aurai déjà l'impression d'être sale. Mettre mon sac sur l'épaule, placer mon manteau dessus, glisser mon parapluie entre les deux, vérifier dans mes poches si j'ai bien mon passeport, mon argent, mon calepin, mes crayons. Descendre déjeuner, puis m'informer de l'heure des trains et des autobus, repartir.

Après, je ne sais pas.

❖

Je descends. Il y a un bar-tabac juste en face de l'hôtel. J'entre. J'achète un journal, j'allume une cigarette, je commande un café. Presque tout de suite, elle est là, à côté de moi.

— Vous avez du feu ?

Bien sûr. J'aime les fumeurs. Je sors de ma poche la petite boîte que je viens de me procurer et je prends bien mon temps pour frotter l'allumette et lui tendre le feu, protégeant la flamme de ma main libre. Je l'observe : elle tend les lèvres en avant, les yeux presque fermés, elle pose une main sur ma main et aspire comme s'il s'agissait d'un plaisir défendu.

— Merci, dit-elle.

Elle a un petit visage triangulaire, des cheveux noirs très courts et des yeux vifs.

— Vous croyez qu'il réussira, Khomeiny ?

On parle beaucoup de Khomeiny dans les journaux ces jours-ci. On dit qu'il s'apprête à renverser le schah

d'Iran, l'allié des Américains. C'est drôle, je me souviens surtout d'un article lu il y a quelques années dans
Paris Match. Il y avait une grande photo d'un ayatollah
barbu et deux plus petites où on le voyait devant son
modeste pavillon de la banlieue parisienne ou assis dans
un fauteuil de cuir devant son téléviseur. Le texte disait
qu'il attendait que ses supporters viennent le chercher
pour prendre le pouvoir en Iran. Ça m'avait frappé. Il
avait l'air d'un pauvre fou, un rêveur, un illuminé.

— Je m'appelle Patricia, dit-elle. Et vous?

Ma foi, elle est plutôt jolie. Tellement française, avec
ces mots qui s'envolent de sa bouche comme des oiseaux.
Je n'en reviens pas qu'elle m'adresse la parole. J'ai l'impression de m'exprimer comme un sauvage, un pauvre
ours mal léché. Par je ne sais quelle magie, ça a l'air de
lui plaire. L'exotisme, sans doute.

Nous parlons de tout et de rien. Elle a dormi au
même hôtel que moi. C'est une voyageuse, elle arrive de
Téhéran où elle enseignait l'anglais. Chassée par la révolution. Téhéran. Je voulais justement passer par là pour
me rendre en Inde.

— Vous ne manquez pas grand-chose. Vous connaissez Athènes? Téhéran, c'est Athènes sans le charme
d'Athènes.

Puis, de façon tout à fait inattendue:

— Vous pouvez me rendre un service?

Naïf. J'aurais dû m'en douter. À moins d'être folles, les filles ne se mettent pas en frais de vous faire la conversation pour vos beaux yeux, surtout quand vous vous trouvez vous-même laid, sale et antipathique. Elles ont besoin de quelqu'un pour les aider.

Nous finissons nos cafés et je retourne avec elle à l'hôtel. La chambre où elle a dormi, au quatrième, donne sur la cour ; elle est encore plus sombre que la mienne. Le lit est défait, des vêtements traînent un peu partout. Dans un coin, un gros coffre bleu.

— Voilà, dit-elle.

C'est le coffre qu'il faut descendre. Une histoire d'ami qui devait venir le prendre et qui n'a pas pu. Maintenant, il faut mettre le coffre dans un taxi. Je m'approche de l'objet dont les dimensions m'inquiètent un peu.

— Attends, dit-elle. Assieds-toi.

Elle m'indique un fauteuil, referme la porte, allume la petite lampe sur la table de nuit. J'aperçois une bouteille et un verre.

— Tu veux un peu de porto ?

Je ne sais pas trop quoi répondre. Pourquoi pas ? Sans attendre, elle va chercher un autre verre dans la salle de bain, me sert, s'approche de moi avec le sourire.

— J'aime bien le porto le matin.

J'avoue que c'est une idée à laquelle je n'aurais pas pensé. Elle ouvre les rideaux. Une clarté indécise s'installe dans la pièce. Elle me regarde en vidant son verre d'un trait. L'alcool à cette heure-ci me fait un drôle d'effet. Un sentiment d'étrangeté, d'irréalité. Être dans une chambre d'hôtel en train de boire du porto à neuf heures du matin avec une Française bizarre... au fond, je ne cherche pas autre chose. Voyager, c'est ça. C'est à ça que ça doit servir.

Patricia remplit à nouveau nos verres. Ses yeux noirs sont encore plus brillants que tout à l'heure et j'essaie de comprendre ce qui se passe. Est-ce que quelqu'un va entrer tout à coup, m'assommer par-derrière ? Vont-ils me voler mon passeport, puis me mettre dans le coffre et me jeter à la mer ? Ou bien y a-t-il déjà un cadavre dans le coffre ?

Tout à l'heure je la prenais pour une petite bourgeoise de province, maintenant il me semble que sa blouse n'est plus attachée jusqu'au cou et qu'on voit même la moitié de ses seins. Elle ramasse ses vêtements sur le lit, une robe de nuit, un soutien-gorge, une serviette, des bas nylon, qu'elle dépose sur une chaise.

— Viens, dit-elle, m'invitant à la rejoindre.

Dois-je bondir sur elle ? Arracher ses vêtements ? La chevaucher comme une bête ? Je m'assois prudemment à ses côtés sur le lit.

— On voit bien que tu n'es pas français, dit-elle en prenant ma main et en la posant sur un de ses seins.

À travers le mince tissu, je sens la pointe durcie qui se dresse déjà. Sans plus hésiter, je me serre contre elle et nous basculons dans les draps. J'achève de déboutonner sa blouse à la hâte et plonge à pleine bouche sur sa poitrine délicieuse. Déjà elle s'attaque à ma braguette et glisse sa main sur mon sexe durci qui n'en peut plus d'être aussi à l'étroit. Elle m'aide à me défaire de mon pantalon, puis je relève sa jupe sur ses cuisses. Je m'en doutais, elle ne porte pas de petite culotte. Ma main fouille entre ses jambes pendant que nos bouches se heurtent et s'embrassent violemment. Tout s'accélère, ma respiration, le mouvement de mes reins, mon cœur, et bientôt un grand frisson me parcourt des pieds à la tête.

Le sperme jaillit dans le kleenex que je tiens sur mon sexe. Je jette le kleenex dans les toilettes de l'hôtel et descends déjeuner. Encore une fois, j'ai imaginé tout cela. Je suis toujours seul.

◈

Une autre journée qui commence, avec de petits moments, de menus désagréments, de légers inconvénients, une autre petite journée.

◈

Après le petit-déjeuner, je récupère mon bagage et me remets en route. Même si je ne sais pas où je vais, je m'efforce de marcher d'un pas décidé ; à me voir passer, on croirait que j'ai une destination précise. Des ouvriers qui travaillent à réparer la chaussée ne font même pas attention à moi. Je dois avoir l'air normal, ça me rassure.

Je cherche un endroit pour faire du stop. Il fait doux mais encore trop froid à mon goût; le ciel bleu, d'un bleu pâle et glacé, semble absent, lointain. Renseignements pris, de Bayonne à Biarritz, il n'y a que quelques kilomètres. Je peux même faire le trajet en autobus pour trois fois rien. L'autocar n° 7 passe toutes les trente minutes. À midi, je suis déjà rendu. Je trouve un hôtel et je me mets à la recherche d'un casino. Le vent qui vient de la mer est froid mais le soleil réchauffe la peau. Je chantonne dans ma tête la chanson de Mouloudji :

Monte-Carlo, Monte-Carlo
J'ai fini ma journée
Je vais me foutre au fond de l'eau
De la Méditerranée

Mais Biarritz n'est pas Monte-Carlo. Terrasses vides et boutiques closes, Biarritz dort, en état d'hibernation. Je marche quelque temps dans les rues à moitié désertes. Le casino est fermé ; pendant l'hiver, il n'ouvre que le soir. Tant pis, je dormirai ici. Je veux jouer. J'aime les casinos, le bruit de la chance dans les machines à sous, la petite boule de la roulette qui bondit, tourne, tourne et choisit elle-même la case où elle va s'arrêter. Je rêve de cet instant magique où un clin d'œil du hasard viendra changer mon destin. Si je gagne, je prendrai le train pour Lisbonne. Je dormirai dans le meilleur hôtel. Ensuite je descendrai jusqu'à la Méditerranée et je trouverai bien un bateau pour quelque part, l'Algérie, la Tunisie, l'Égypte. Un beau bateau blanc, avec un pont-soleil, des Allemandes aux seins nus, des drinks à volonté…

D'ici là, il me reste beaucoup de temps à tuer. Je déambule au hasard dans les rues de cette ville de hasard. Je traîne devant les boutiques, mange un sandwich, bois un verre de rouge. Je m'arrête dans une librairie qui ressemble à un drugstore. À l'entrée, gadgets, jeux, revues, puzzles, cartes postales, affiches. Sur les rayons, des milliers de titres, des milliers d'images, des milliers d'histoires. Je fais le tour, complètement affolé. À tout hasard, je choisis un Borges mais je m'aperçois après avoir quitté la librairie que je l'ai déjà lu.

Je reviens à l'hôtel. Le soleil se couche, c'est toujours un moment difficile à passer. Debout devant la porte-fenêtre, je fume, j'observe un moment le mouvement des gens et celui des automobiles sur la place en contrebas. Puis je m'étends sur le lit pour lire le journal. Lire le journal me fait du bien. J'ai acheté le quotidien local. Toutes ces petites nouvelles occupent entièrement mon esprit : réception à la mairie, travaux de voirie, magouilles dénoncées, chicanes de clochers. Je m'absorbe entièrement dans ces informations sans valeur, je m'oublie, je disparais et en même temps disparaît ma souffrance.

❖

J'arrive au casino juste au moment où une équipe de croupiers en uniforme, gantés de blanc, fait son entrée. J'ai décidé que je ne peux pas me permettre de perdre plus de 500 francs. Superstitieux, j'ai une théorie sur la façon dont les choses doivent se passer. C'est tout à fait comme pour la poésie, comme pour l'amour : il faut être en état de grâce. Et l'état de grâce est une disposition faite d'innocence, débarrassée de toute forme d'hésitation, de réflexion, de calcul. Il faut beaucoup d'équilibre pour surfer ainsi sur l'instant présent, sans jamais tomber ni dans le passé ni dans l'avenir.

Je m'approche d'une table et décide de jouer le 19, le premier chiffre qui me vient à l'esprit. Des gens devant moi forment une élégante barrière d'épaules nues, de chevelures coiffées, de bras gantés, qui m'empêche d'approcher. Le 19 sort et rapporte 36 fois la mise. J'en éprouve une violente déception en même temps qu'un profond sentiment d'injustice. Deux tours passent encore avant que je puisse atteindre la table et placer mes jetons. Maintenant, tout le déroulement est faussé. Comment savoir si les chiffres qui me viennent à l'esprit me sont soufflés par des dieux bienveillants ou si c'est moi qui les imagine ? Tombé du ciel, revenu sur terre, je ne suis plus qu'un homme à la recherche de profits matériels et non pas un mystérieux cabaliste s'ingéniant à transmuter son destin en or.

Je m'essaie ensuite au black-jack. J'y perds rapidement la plus grande partie de la somme que j'ai sur moi. Quand il ne me reste que cinq jetons de 10 francs, je décide de les changer en monnaie et de les jouer dans les machines à sous. C'est déjà un autre monde, mécanique et brutal, sans rien de la poésie des tapis verts et des croupiers bien stylés. Ici, le tout-venant vient tenter sa chance. Je ne peux m'empêcher de penser que c'est bien là ma place.

❖

J'ai joué, j'ai perdu. J'étais entré plein d'espoir ; quand je sors, je ne suis pas plus désespéré qu'avant. Juste autant. Devant le casino, la place est déserte. Je laisse la porte se refermer sur les rires et la musique et je marche en direction de mon hôtel. J'ai mis mon imperméable, la soirée est fraîche. On entend la mer qui vient battre en bas contre la falaise. De beaux immeubles de pierre avec des balcons sculptés et des balustrades de fer forgé bordent l'avenue principale. Mais les rues vides et les rideaux de fer des boutiques fermées donnent à la soirée un caractère sinistre.

❖

Je mets toute la journée du lendemain à parcourir les quelques dizaines de kilomètres qui me séparent de l'Espagne. À San Sebastian, au bureau de tourisme où j'attends mon tour, je suis assis juste à côté d'un globe terrestre. Quel monde gigantesque… Mon voyage jusqu'ici se résume à un petit trait à peine visible. Londres, Paris, Toulouse, Bayonne, Biarritz, San Sebastian… À cette vitesse-là, je serai en Inde dans un mois, dans deux mois, jamais. Je peux voir clairement le trajet qu'il me reste à faire, je n'ai pratiquement pas avancé. Et encore, c'est la partie la plus facile du voyage.

Au lieu d'une chambre d'hôtel, je décide de prendre un billet de train, et le soir même je m'embarque pour Lisbonne.

2

LONDRES, Paris, Toulouse, Bayonne, Biarritz, San Sebastian. Six jours déjà que je suis en route. Six jours et il ne s'est rien passé. L'univers n'est pas aussi magique que je le croyais, ou bien c'est mon destin à moi qui n'est pas intéressant, ou moi qui ne suis pas à la hauteur, moi qui ne suis pas à la bonne place, moi qui n'ai pas fait les bons choix.

Assis dans un compartiment vide du train qui roule vers Lisbonne, je m'astreins encore à prendre des notes dans mon petit calepin noir au format incommode. Je me sens terriblement seul. Je persévère en m'accrochant à l'idée qu'il finira bien par se passer quelque chose. Au rythme des roues sur les rails, des phrases arrivent toutes faites à mon cerveau et se répètent avec la régularité de mantras.

T'aurais pas dû partir, t'aurais pas dû partir, t'aurais pas dû partir, t'aurais pas dû partir...

Qu'est-ce que tu fais là, qu'est-ce que tu fais là, qu'est-ce que tu fais là, qu'est-ce que tu fais là...

T'es vraiment trop con, t'es vraiment trop con, t'es vraiment trop con, t'es vraiment trop con...

Le train roule vers Lisbonne et je me sens prisonnier de sa trajectoire, j'ai envie de descendre au hasard, n'importe où, dans une petite gare, et de recommencer ma vie. M'en remettre au destin. Je sais que ça ne marche pas. C'est ce que je fais depuis six jours et rien n'arrive.

Six jours, je sais, six jours, ce n'est rien, c'est ridicule, il y a des hommes qui ont passé dix ans, vingt ans, cinquante ans dans le désert. Mais je ne suis pas dans le désert.

Dans les villes aussi, il y a des hommes qui sont seuls depuis des années.

Je sais, et ils sont devenus fous.

Et peut-être que je ne suis pas un homme. Peut-être que je suis ici seulement pour me prouver à moi-même que je suis un homme. Peut-être que je n'y arriverai pas.

Chaque jour qui passe m'enfonce un peu plus dans mon incapacité et je ne peux pas me distraire. Je ne peux pas détourner la tête et dire : je reviendrai plus tard. Je ne peux pas fuir, m'en aller, partir — je suis déjà parti.

J'étais ton amoureux, et maintenant je ne suis plus rien. Mon voyage n'est qu'une longue déambulation ennuyante à travers des villes et des paysages que je ne vois pas, parmi des gens à qui je ne parle pas.

Rien à faire. Rien à faire, ils sont trop occupés et moi je n'ai rien à faire. Ils sont des milliards et je suis seul. Ils ont des réunions à préparer, des formulaires à remplir, des décisions à prendre, des calculs à terminer, des lettres à signer, des documents à lire, une vie à gagner. Moi, je n'ai rien à faire. Je m'en vais en Inde. Je m'en vais en Inde et je n'ai rien à faire là-bas non plus. Je ne suis même pas obligé d'y aller, il n'y a que cette obligation morale que je me suis à moi-même imposée. Je m'en vais en Inde et il y a mille chemins pour y arriver, ou pour ne pas y arriver.

Je n'attends plus rien, mais en même temps je reste accroché de toutes mes cellules à l'idée que quelque chose va arriver. Quelque chose de radical, de définitif. Quelque chose dont je suis prêt à repousser indéfiniment la manifestation, la réalisation, pour pouvoir entretenir le sentiment que cette perfection est possible.

❖

La mort. Ne penser qu'à cela. Ne pouvoir penser qu'à cela.

❖

Six heures du matin. Je viens de me réveiller en sursaut et je ne sais pas comment je vais faire pour me rendormir. Il y a quelque part un minuscule instant que je voudrais pouvoir effacer, un minuscule instant à partir duquel les choses ont basculé sans retour possible, à partir duquel elles suivent désormais leur cours vers de plus en plus de désagréments, irrémédiablement. À Dublin, quand j'ai décidé de partir... À Londres, quand j'ai décidé de prendre l'hovercraft... À Paris, quand j'ai vu le nom de cette agence de covoiturage... J'aimerais tellement être dans cette autre vie où j'ai rencontré deux jolies Anglaises qui s'en allaient en Italie...

Londres, Paris, Toulouse, Bayonne, Biarritz, San Sebastian... Que sommes-nous venus faire sur la terre, mes amis ? La poésie des noms, l'exotisme des lieux ne changent pas grand-chose. Partout je me heurte à des gens qui n'ont pas de place dans leur vie pour une question aussi inquiétante. Cette question, j'ai beau la dissimuler du mieux que je peux, il en dépasse toujours des bouts. Je ne sais pas mentir. On voit bien qu'elle m'obsède.

Incapable de tenir en place plus longtemps, je me lève et je sors. Je marche dans le couloir étroit, bousculé par les mouvements du wagon, perdant l'équilibre à tous les trois pas. Par les portes vitrées, je jette un coup d'œil à l'intérieur des autres compartiments. Des femmes en noir qui tricotent, des hommes lourdement vêtus qui ne font rien. Partout ces visages fermés, ces regards hostiles. Et moi je sens que je m'enfonce de plus en plus en moi-même, dans un univers compliqué dont il devient de plus en plus difficile de sortir.

❖

C'est le coin de la solitude qui pénètre en moi, qui me divise en deux, deux moitiés qui se parlent, se répondent, se disent la même chose : je suis seul.

❖

Hier soir, à San Sebastian, avant de monter dans le train, j'ai acheté du fromage, du saucisson, du pain et du vin. Bien installé, avec mon livre de Borges, j'ai éprouvé pendant quelques secondes l'impression d'être là où il fallait que je sois, quelque part en Espagne, quelque part dans un train, quelque part en route vers l'Inde. Maintenant il est sept heures du matin, nous quittons la gare de Coïmbra, le soleil se lève derrière les palmiers et une grande tristesse m'envahit sans raison. J'ai envie d'être chez moi. Qu'est-ce que je fais ici, regardant par la fenêtre, seul, assis sur un banc de velours usé, avec près de ma jambe des miettes de sandwich et une demi-bouteille de vin rouge ? *Qu'est-ce que tu fais là, qu'est-ce que tu fais là, qu'est-ce que tu fais là, qu'est-ce que tu fais là...* Ça fait si longtemps que je regarde par la fenêtre, j'en ai plus qu'assez de voir des images, images par-dessus images, combien de milliers de maisons, de milliers d'arbres, de milliers de visages, de bras, de jambes ai-je regardés depuis mon départ ? J'ai peur d'être vu ainsi, amoindri, sans plaisir, désavoué par la vie elle-même. *Tu n'sais pas voyager, tu n'sais pas voyager, tu n'sais pas voyager, tu n'sais pas voyager...* Tu ne sais pas vivre, tu ne sais pas t'amuser. Nous sommes sur la terre pour nous amuser, mon ami. La vie est courte, il faut en profiter. Et les camps de concentration, la lèpre, la malaria ? Et la guerre, et la torture, et la mort ? Nous sommes sur la terre pour vivre passionnément. Toi, tu regardes par la fenêtre.

❖

Des jours que je suis en route et il ne se passe rien, que du temps vide, sans rien dedans. Je ne rencontre que des gens encore plus ordinaires que moi, encore plus ennuyants. Dehors, il n'y a rien à voir, une sorte de brume très épaisse, plus blanche que du brouillard, a tout envahi. Le train franchit tunnel après tunnel, et nous passons sans arrêt du noir absolu à cette blancheur étrange. On ne voit pas le paysage, tout est bouché et brille pourtant d'une lumière crue, aveuglante, irréelle. Un éblouissement. Puis sans avertissement nous retombons dans la nuit, un autre tunnel où le martèlement des roues sur les rails devient soudain plus fort, se fait encore plus présent, comme une musique affolante parfaitement accordée au mouvement du train. *Qu'est-ce que tu fais là, qu'est-ce que tu fais là, qu'est-ce que tu fais là, qu'est-ce que tu fais là…* Tout prend les allures étranges d'un rêve. Je quitte la fenêtre qui m'hypnotise et récupère mon livre sur la banquette, j'essaie de lire, les mots n'ont pas de sens. La littérature nous trompe, je le savais, je l'ai toujours su. Même les meilleurs écrivains. Même les meilleurs livres. Ce sont les pires, ceux qui nous trompent le mieux. La vie, ce n'est pas ça. Ça n'a rien à voir, ce n'est jamais si clair, jamais si simple, jamais si bien organisé. Il n'y a pas un mot de vrai là-dedans, méfiez-vous, si vous croyez cela vous êtes fait, vous ne serez plus jamais libre. Vous allez croire qu'il y a un sens, une direction, un plan, un ordre, un but, une explication, alors qu'il n'y a rien de tout cela, tout est jeté pêle-mêle, en vrac, au hasard, et vous êtes là.

Sept heures du matin, je bois déjà, à même le goulot, je dors un peu, étourdi par le vin. Quand je me réveille, les bancs de brume masquent toujours le paysage et réfractent une lumière diffuse. Cela ressemble à la mort, un blanc aveuglant, comme lorsqu'on est sur le point de perdre connaissance. D'abandonner. J'ai peur, une sorte de panique s'empare de moi, je ne parviens plus à respirer. Je voudrais parler à quelqu'un. J'étouffe, je suis seul au monde, j'ai l'impression d'avoir déjà quitté la réalité et que ce train qui fonce à travers le jour et la nuit n'est qu'un symbole, un symbole sans plus de consistance que les images d'un rêve et qui me précipite à toute vitesse vers la mort. J'ai l'impression que ce train n'existe que pour moi, que dans mon imagination, que pour me détruire, et qu'il va se lancer à toute vitesse hors des rails, en bas d'un pont, dans un grand hurlement.

J'ai toujours pensé à la mort. J'ai toujours eu peur de la mort, cette idée si saugrenue, si inattendue, que je doive moi aussi mourir. *Moi aussi mourir, moi aussi mourir, moi aussi mourir, moi aussi mourir...* Moi aussi disparaître, n'être plus que ce corps lentement rongé par les vers et les horribles insectes, mes cheveux blonds, mes yeux bleus, ma bouche, ils entreront dans ma bouche, dans mes narines, dans mes oreilles, ils se promèneront dans mon crâne avec leurs anneaux gluants, leurs mandibules coupantes, se nourrissant de moi. Mourir, tout est là. Mourir noyé, mourir brûlé, mourir étouffé. Mourir assommé, mourir écrasé, mourir torturé. Mourir au bout de la souffrance. La mort. Partout. Toujours.

Je me lève à nouveau, je marche le long du corridor étroit, regardant dans les compartiments, cherchant quelqu'un à qui je pourrais parler. Toujours ces femmes en noir qui tricotent, ces hommes qui me regardent avec leurs visages hostiles, aussi impossibles à toucher que les images d'un film. Je transpire, je me mords les lèvres, j'essaie de m'accrocher à quelque chose de solide. J'ai les jambes molles, le souffle coupé, tout mon organisme s'affole. *Je suis insignifiant, je suis insignifiant, je suis insignifiant, je suis insignifiant...* Je suis un pou sur la surface de la planète, je disparaîtrai sans laisser de traces, sans avoir rien compris ni rien changé, un pou, totalement inutile, avec une vie qui ne correspond pas à mes rêves et qui me donne tort, continuellement. L'univers ne ressemble en rien à l'image que je m'en faisais. Je ne comprends plus ce que je fais ici, comment il se fait que ce n'est pas comme dans les romans, que ce n'est pas comme dans la vraie vie. J'ai connu la vraie vie pourtant moi aussi, des moments parfaits, intenses, immenses, englobant tout, et maintenant je me suis abandonné moi-même, j'ai voulu être plus fort que le destin, j'ai voulu n'en faire qu'à ma tête et il n'y avait rien. Il n'y a rien. J'ai peur maintenant d'avoir à mourir, ça pourrait aussi bien finir comme ça, un accident de train, mon corps quelque part dans les décombres, ça arrive tous les jours, c'est tellement banal et je suis moi-même tellement banal, tellement ordinaire ; pas d'ange pour me protéger, pas de magie, pas de miracle ; dans ma tête un monologue repris sans cesse comme dans la tête de tous ceux qui sont morts, un monologue qui dit : « Moi ! Moi ! Moi ! », moi, moi, moi et rien au-delà, non, rien, des mots, des banalités, des dérobades, des mensonges, un destin insignifiant, mourir comme ça.

Je reviens m'asseoir sur mon banc. Je fouille dans mon sac, je sors mon petit carnet noir. Écrire quoi ? Le paysage n'a plus d'importance, le monde extérieur n'a plus d'importance, seule me préoccupe l'observation attentive du cratère qui s'ouvre en moi et dont la vue m'hypnotise. Pris de vertige au bord de moi-même, j'observe sans comprendre ce grand trou qui n'est rien, pas même un trou, simplement l'absence de moi, l'absence de moi avec rien d'autre à la place. Et ce trou petit à petit gagne du terrain, m'efface, me réduit, m'amenuise, m'anéantit.

Angoisse. C'est ça, c'est l'angoisse. Je ne l'ai pas reconnue tout de suite, je l'ai confondue avec un début de grippe peut-être, un simple malaise passager, des inquiétudes. L'angoisse est tout autre chose. Elle n'a même pas de nom, elle ne nous appartient pas, elle commence quand elle veut et s'en va quand elle a envie de partir. C'est une chose étrangère, comme une bête se glissant à l'intérieur de soi, à l'intérieur de sa propre identité et de ce à quoi on avait l'habitude de se reconnaître. Maintenant tout est méconnaissable. Plus rien n'a d'intérêt, plus rien n'a de sens, ça ne veut plus rien dire. *Ça n'veut plus rien dire, ça n'veut plus rien dire, ça n'veut plus rien dire, ça n'veut plus rien dire…* Les mots n'ont plus de sens, la vie n'a plus de sens. Qu'est-ce que je noterais maintenant ? Dans mon petit calepin, je griffonne l'heure qu'il est. 9 h 40. C'est tout ce que je suis capable d'écrire.

Quand la vie n'a plus de sens, elle n'a plus de sens, la vie, plus de sens du tout, même pas le sens de ne pas avoir de sens, même pas absurde, rien. Quand tout à coup on s'en rend compte, tout à coup, on n'est absolument pas prêt à ça. Tout ce qu'on chérissait, qu'on préservait, qu'on aimait, qu'on croyait, tout à coup ce n'est plus rien. Amis, projets, voyages, avenir : rien. Plus d'amis, plus d'amour. Que des inconnus partout autour de soi, à des kilomètres à la ronde, un territoire inexploré, inhospitalier, et aucune raison d'être là, sinon pour y mourir.

Angoisse. Descendre dans le gouffre noir. Fermer les yeux et descendre. Tellement fatigué, descendre. Les amis autour d'une table, la tiédeur des nuits, le rire d'une fille, le soleil d'été, là-dessus un pinceau noir étalant la noirceur. Ne plus arriver à lutter, ne plus résister à l'envahissement, les larmes partout en nœuds, dans le ventre, les bras, les jambes, le sexe. C'est noir, ça devient noir, c'est tout seul en dedans, en dehors. Je croyais en connaître un bout sur la solitude, même là je me trompais, il ne reste plus rien que la mort.

Oui, c'est une vieille angoisse, je la reconnais, elle est toujours là, elle dormait au fond de moi, prête à surgir au moindre dépaysement, à me prendre au dépourvu dans la solitude et l'abandon. Au fond de moi quelque chose de tellement fragile qu'au moindre choc il se brise et tout est à recommencer, un château de sable patiemment édifié et que la prochaine marée emportera. Des bras me retiennent qui sont des tentacules, qui sont sans nombre, qui renaissent sans cesse. Comment m'échapperai-je ? Non, non, il me faudra d'abord mourir, mourir cent fois, mille fois, de mille morts, je ne sais pas, je ne sais rien, il est tard, ne plus voir l'amour, quelle pire punition auraient-ils pu m'inventer, vivre en dehors de moi-même et de ma nature propre.

Je n'ai rien réglé, je croyais l'avoir surmontée mais je n'avais fait que l'enfouir, la cacher, la masquer, je n'ai fait que la fuir et encore je ne songe qu'à fuir, je ne veux pas la voir en face, me voir comme je suis, minable, ordinaire, ridicule, prétentieux, pauvre pion sans importance qui se prenait pour quoi ? Un écrivain...

Pouvoir dormir, reposer ça. Pouvoir écrire. Écrire justement pour ça, avoir l'impression que ça a un sens, ne pas me retrouver seul au seuil de la folie, au seuil de l'asile, avec l'effroyable douleur de ne plus rien reconnaître, de ne même plus me reconnaître, moi. Assurer mon identité en écrivant, en écrivant depuis toujours, pour faire exister ça à travers le temps, pour lui donner une identité, pour le reconnaître. Et maintenant même plus ça. *Même plus ça, même plus ça, même plus ça, même plus ça...* Assis seul dans mon compartiment, avec mon petit carnet dérisoire à la main, incapable de tracer un mot, les mots n'ont pas de poids, ne disent rien. Mes oreilles se sont bouchées, le silence est atroce, je panique, je suis sûr maintenant que je vais mourir. Je déteste être ici, je refuse d'être ici, c'est trop différent de ce dont j'avais rêvé, on dirait que ça va éclater et je ne sais même pas quoi, qui, qu'est-ce qui va éclater. J'étouffe et je ne parviens pas à contrôler ma respiration qui s'affole, je pompe l'air en râlant pendant que le cœur me martèle la poitrine. Je transpire à grosses gouttes, et à l'angoisse s'ajoute l'angoisse de n'avoir jamais été aussi angoissé, quand on est aussi angoissé c'est sûrement parce qu'on va mourir. Je vais mourir. *Tu vas bientôt mourir, tu vas bientôt mourir, tu vas bientôt mourir, tu vas bientôt mourir...*

Quelqu'un, que quelqu'un s'occupe de moi, me rassure, me ramène chez moi. J'ai peur de mourir, je sais que cela fait mal, ne plus pouvoir respirer, les poumons qui brûlent, cet élancement au cœur, oui je sais que je suis mortel, condamné à disparaître, à quitter tout ce que j'aimais, mortel comme tous les autres, je vais mourir et je ne veux pas, jamais, jamais.

Je me lève, je m'assois, je prends le livre de Borges, je l'ouvre, mais cela ne fait pas le poids, des mots, des mots, et moi je vais mourir, sur cette planète de sang, de douleur et de mort, je ne peux plus penser à autre chose, c'est là, en plein milieu de moi, dans toute son évidence. Oh, combien il aurait mieux valu continuer à se distraire, à s'étourdir, à boire, à rire, à chanter, à faire l'amour, ne pas y penser, plutôt que de se livrer ainsi bêtement, pieds et poings liés, face à face, sans issue. Calme-toi, calme-toi.

Se distraire, il y a tellement de choses pour se distraire, mais se distraire de quoi ? De quel insupportable vide, de quel insoutenable néant, comme si chaque instant n'était pas, à chaque instant, tout ce qui est. Comme si chaque instant, chaque pur instant silencieux, n'était pas, à chaque instant, exactement ce qu'il doit être. Calme-toi.

Je ne sais pas voyager, je ne sais pas vivre, je ne sais pas m'amuser, je ne sais pas être heureux. Calme-toi, calme-toi.

Je n'ai plus de mots à accrocher partout pour me défendre, plus de mots pour mentir, pour feindre, pour me tromper moi-même, plus de masque, me voici démasqué, et qu'y avait-il derrière le masque ? Rien, pas grand-chose, l'orgueil, rien de réel, des mots. Calme-toi.

Parler ou ne pas parler de ce qui n'a pas de nom n'est jamais se taire. On ne peut pas se taire, il faut avoir été tu. Calme-toi.

Calme-toi, calme-toi.

Claustrophobe, prisonnier, l'envie de tirer la sonnette d'alarme, sortir d'ici.

Calme-toi, tu sais bien que cela va finir, ce n'est pas la première fois. Mais cette fois-ci, si loin, si petit, si seul, si insignifiant, je n'existe pour personne, comprends-tu, je n'existe que dans ce train et ce train n'existe que pour me détruire, pour que plus rien n'existe, qu'est-ce que je fais ici, ni en France, ni en Espagne, ni au Portugal, je n'avais qu'imaginé tout cela, même la planète Terre, plus rien qu'une brume blanche, éclatante de lumière, de vide, de néant, d'absence, calme-toi, prisonnier de ce train, prisonnier de la Chose, prisonnier de ma mort, calme-toi, prisonnier du monde, calme-toi, calme-toi...

3

Le train entre enfin en gare à Lisbonne. Complètement affolé, je bouscule tout le monde, poussant mon sac devant moi comme un bouclier pour me frayer un chemin dans le couloir et sortir du wagon. Il faut que je m'éloigne à tout prix de ce compartiment où j'ai cru ma dernière heure arrivée.

Fébrile, j'ouvre la porte avant l'arrêt complet et je saute sur le quai. L'air sent la vapeur sèche et l'huile surchauffée, et je respire comme si j'étais en train de me noyer. À travers la verrière sale du toit, une lumière verdâtre éclaire l'intérieur de la gare. Je longe la locomotive sans oser la regarder. Pas de provocation. Je devine ses muscles bandés, ses yeux cruels. Un animal mauvais, furieux de m'avoir laissé échapper.

Où aller maintenant pour que l'angoisse ne me retrouve plus, pour qu'elle me lâche enfin ? Il faut que je parle à quelqu'un avant de devenir fou. Je marche aussi vite que je le peux, butant sur des lambins ou sur des groupes arrêtés ici et là. En même temps, je cherche des yeux d'autres étrangers, des gars, des filles avec des sacs à dos, des Anglais, des Français, des Australiens parmi la foule anonyme, morne, brune ; mais il semble bien que je sois le seul touriste débarqué à Lisbonne ce matin.

Je suis les indications jusqu'à l'Office du tourisme. Une pièce rectangulaire, vide, quelques chaises rangées le long d'un mur avec, au fond, un grand comptoir. Un seul client, un homme. Quarante-cinq ans peut-être, l'air d'un paysan, casquette aplatie sur la tête, vêtements sombres, une valise pas très neuve à ses pieds. Il ressemble à tous les Portugais que j'ai vus jusqu'ici. Derrière le comptoir, la préposée tape quelque chose à la machine. Je m'approche juste au moment où elle se lève pour venir lui répondre. Je dépose mon sac et demeure un peu à l'écart, attendant mon tour. J'écoute ce qu'ils disent en feuilletant distraitement les dépliants qui traînent au bout du comptoir. Porto, Lisbonne, l'Algarve, il fait beau partout.

L'homme cherche une chambre pas trop chère, près du centre. Il n'est pas Portugais. Il s'adresse à la préposée en anglais, mais de toute évidence ce n'est pas sa langue maternelle. Il précise qu'il n'a pas besoin de luxe. Elle lui demande combien de temps il compte rester. Il répond un jour ou deux, peut-être plus. Elle lui propose une chambre à 200 escudos par jour, sans bain ni douche. Il veut savoir si le petit-déjeuner est compris, et où l'hôtel est situé. Ce n'est pas un hôtel, dit la fille, c'est une *pensão*. Elle sort un plan et lui montre son emplacement. Il dit oui tout de suite.

— Je vais vérifier s'ils ont des chambres, dit la fille.

— Excusez-moi, je... j'ai entendu ce que vous disiez et je... voilà, je pense que je cherche à peu près la même chose que ce monsieur et... si ça ne vous ennuie pas, je... je prendrais aussi une chambre à cet endroit.

Ils ont tous deux l'air surpris. La préposée lance un regard interrogateur en direction de l'homme, c'est comme si elle lui laissait le soin de décider.

— Je n'y vois pas d'inconvénient. Vous êtes tout à fait libre d'aller où vous le désirez.

— Merci, dis-je presque humblement.

La préposée décroche le téléphone et tout en composant le numéro lui demande son nom.

— Ça n'a pas d'importance.

— J'en ai besoin pour faire la réservation.

— Ce n'est pas nécessaire, mettez n'importe quoi.

Elle a déjà obtenu la communication.

— Je vous en prie, donnez-moi votre nom.

— Bon, alors, dites que c'est monsieur Frantz.

Elle nous tourne à demi le dos et se met à discuter en portugais avec son interlocuteur. Monsieur Frantz ne dit pas un mot. Il observe la préposée et évite de regarder dans ma direction. Il a déposé sa casquette sur le comptoir. Comme ça, il a l'air moins portugais. Front haut, crâne à moitié dégarni. Je cherche une façon de l'aborder. Je finis par bredouiller quelque chose en anglais à propos des avantages des voyages hors saison, une remarque ironique sur le climat, dans laquelle je finis par m'empêtrer complètement. Il m'examine avec attention, ses yeux bleus fixés sur les miens.

— Vous n'êtes pas allemand, dit-il.

Je pense qu'il a mal compris ce que j'essayais de dire, mais ça n'a aucune importance. Je saute sur l'occasion, trop heureux de pouvoir engager la conversation. J'explique que je suis québécois, que je viens de Montréal.

— Je vous avais pris pour un Allemand, dit-il en français. Vous avez l'air plus allemand que moi.

Puis il me demande ce que je fais à Lisbonne. Je déballe mon histoire à toute vitesse : je suis écrivain, j'arrive d'Irlande, je me dirige vers l'Inde, je ne voulais pas prendre l'avion pour bien sentir la distance qui sépare l'Occident de l'Orient. Il n'a pas l'air trop surpris.

— Ah tiens, dit-il. Moi aussi, je fais une sorte de pèlerinage.

La préposée revient à ce moment-là et confirme nos réservations. Puis elle nous remet un plan de la ville et nous explique le chemin à suivre pour nous rendre à la *pensão*. Je propose à monsieur Frantz que nous fassions route ensemble. Je ne veux surtout pas me retrouver seul. Puis, comme nous nous dirigeons vers la sortie, je lui demande ce qu'il fait dans la vie. Il me répond qu'il est prêtre. Je suis si étonné que je ne sais pas comment réagir et nous sortons de la gare en silence.

◈

Voilà donc ce que le destin me réservait : des ciels maussades, des crises d'angoisse et des prêtres déguisés en paysans. Je cherchais quelqu'un à qui parler et je me retrouve avec un confesseur. Mais je n'ai pas le choix, je sens encore la Chose qui rôde autour de moi, qui renifle ma présence, qui suit ma trace, comme une bête menaçante prête à sauter sur moi, horrible bête cherchant à m'envahir, à s'emparer de mon esprit. Il faut que je me raccroche à la réalité, une réalité, n'importe laquelle. Je ne pourrais pas supporter de rester seul plus longtemps. Je me résous donc à suivre le compagnon de fortune que Dieu a mis sur mon chemin.

◈

Dehors, le ciel a commencé à se dégager, avec de grandes plages bleues entre les nuages blancs. Le long d'un des murs de la gare, à l'abri du vent dans le soleil encore tiède, des cireurs de souliers fument et discutent entre eux, gesticulant de leurs bras courts, près de boîtes de bois à plan incliné qui contiennent tout leur attirail et leur servent de boutique.

Monsieur Frantz s'approche du groupe et aussitôt l'un des hommes lui fait signe. Les autres jettent un coup d'œil un peu méprisant sur mes espadrilles et reprennent leurs conversations.

— Voilà un métier que j'aimerais faire, dit monsieur Frantz. Regardez comme ils sont habiles !

Le cireur a étendu d'un geste précis la pâte brune sur sa chaussure droite, puis il donne un petit coup de brosse sur sa boîte et monsieur Frantz présente son autre chaussure.

— Et puis vous voyez, ils parlent toutes les langues.

Il sourit, heureux de sa plaisanterie.

❖

Nous suivons une avenue bordée de commerces en gros et de petites manufactures, le long de la voie ferrée. Monsieur Frantz est tout à coup devenu moins bavard et j'ai l'impression de l'importuner. Un grand fleuve coule à notre gauche. Gêné de mon ignorance, je n'ose demander son nom. La route s'étire devant nous, rectiligne et ennuyante. Nous n'avançons pas très vite. Monsieur Frantz jette un coup d'œil sur le plan de la ville et propose que nous prenions un raccourci par le quartier en pente qui s'élève à notre droite. Nous nous engageons dans un dédale de petites rues étroites et de ruelles tortueuses entrecoupées d'escaliers qui grimpent à flanc de colline. Nous sommes bientôt perdus.

Nous continuons à marcher en silence. Ça m'embête qu'il soit prêtre. Je ne sais pas trop quoi lui dire. Pourtant, j'ai besoin de lui, je ne veux pour rien au monde être seul. Sa valise à la main, il va d'un bon pas et je l'imite, mon sac en bandoulière, bien décidé à ne pas le perdre. S'il se mettait à courir, je crois bien que je courrais derrière lui. Tant pis s'il me trouve encombrant. Je me sens comme ces chiens abandonnés prêts à suivre quiconque ne les chasse pas d'un coup de pied. « Si je le suis assez longtemps, pensent-ils, il finira bien par s'attacher à moi. » C'est ce que je me dis aussi.

Des odeurs de cuisson, de grillades, de poisson, parfument l'air. Il n'est pas loin de midi. Je n'ai pas la moindre idée de l'endroit où nous sommes. Essoufflé, j'ai hâte de me débarrasser de mon sac qui m'arrache l'épaule et de mon blouson trop chaud.

Après avoir un peu tourné en rond, nous finissons par nous extraire de ce labyrinthe en sautant à bord d'un petit tramway jaune qui passe à notre portée. Nous marchons depuis plus d'une heure. Je suis content de m'asseoir enfin et de déposer mon bagage. Il y a des bancs de paille blonds et vernissés, exactement comme ceux que j'ai connus, enfant, à Montréal. Et tous ces bruits, identiques à mes souvenirs : le son percutant de la cloche, le bourdonnement de l'électricité, le grincement métallique des roues.

— Vous connaissez Lisbonne ? dis-je pour dire quelque chose.

— Non, non, je n'y suis jamais venu, c'est la première fois.

— C'est encore une ville très catholique, j'imagine ?

Il me regarde, l'air surpris.

— Je n'en sais rien, dit-il.

Je vois bien qu'il ne veut pas parler, mais j'ai encore besoin de distraire la Chose qui menace mon esprit.

— Vous êtes arrivé par le même train que moi ?

— Je ne sais pas. Par quel train êtes-vous venu ?

— Celui qui arrivait d'Espagne. De San Sebastian.

— Non, je ne viens pas d'Espagne.

— Vous parlez très bien français.

— J'ai habité longtemps Paris.

Après s'être faufilé à travers quelques petites ruelles, le tramway quitte le quartier ancien et retrouve des rues plus larges et rectilignes. Au bout de quelques minutes encore, il débouche sur une grande place, la contourne sur deux de ses côtés et s'immobilise à un arrêt. Tout le bruit qui nous a accompagnés jusque-là s'arrête d'un seul coup. Il y a un moment de silence étonnant, puis le contrôleur marmonne quelque chose à notre intention. Nous sommes seuls à l'intérieur du wagon et nous comprenons que c'est le terminus.

— Vous savez où nous sommes ? dis-je encore.

— C'est probablement le Rossio.

Il s'informe auprès du contrôleur, utilisant cette langue que je l'ai entendu employer en chemin pour demander des renseignements, une langue faite de mots français auxquels il ajoute des terminaisons espagnoles et des sons chuintants. « C'est du simili-portugais, devait-il m'expliquer plus tard. C'est très utile au début pour se faire comprendre des indigènes. » Il baragouine en souriant, plein de bonne volonté et d'empathie, comme un missionnaire cherchant à s'introduire au sein d'une peuplade à convertir. Déjà il leur ressemble, tache brunâtre sur la toile de fond brunâtre de ce matin de janvier.

Nous sommes bien au Rossio. Un vent frais souffle sur la place. Suivant les indications du contrôleur, nous trouvons bientôt la Praça dos Restauradores, puis l'Avenida da Liberdade.

La ville ne ressemble à rien de ce que je connais. L'Avenida da Liberdade me paraît démesurément large. Quatre ou cinq voies courent dans chaque direction, sillonnées par des dizaines de taxis noir et vert. Au beau milieu, un terre-plein abrite des cafés-terrasses et même des bassins où nagent des canards et quelques grands cygnes. De chaque côté, des contre-allées bordées d'arbres sont flanquées de trottoirs couverts de mosaïques noires et blanches.

Encore quelques minutes de marche et nous sommes rendus. La petite rue Alegria grimpe sur une centaine de mètres et débouche presque tout de suite sur une place plantée de palmiers aux palmes roussies. À gauche, sur la façade d'un vieil édifice, une plaque signale la présence de la *pensão*. Ce n'est pas vraiment un hôtel, plutôt un immeuble résidentiel. La pension occupe le deuxième étage. Nous grimpons dans la pénombre un escalier aux marches de pierre usées. En haut, une pièce sombre, en couloir, avec un bureau de bois verni, constitue à la fois le hall d'entrée et la réception. Il y règne un silence absolu.

Je me débarrasse de mon sac et je m'assois sur un sofa défraîchi. Monsieur Frantz a posé sa valise à ses pieds et demeure debout dans la demi-obscurité. Personne ne semble nous attendre ou nous avoir entendus. Au bout d'un moment, monsieur Frantz se décide à actionner une clochette placée sur le comptoir. Le bruit mou d'un corps se mettant en mouvement nous parvient de la pièce voisine et une vieille dame vêtue de noir entre par une porte située derrière l'officine. Monsieur Frantz explique que nous avons réservé des chambres. La dame répond quelque chose en portugais, en montrant le cadran d'une grosse horloge à pendule, puis les cinq doigts de sa main. Il faut revenir à cinq heures.

— Je n'y comprends rien, dit monsieur Frantz à mon intention.

Au moyen de quelques gestes, nous convenons de laisser les bagages, qu'elle nous fait déposer dans une sorte de petit salon fermé à clef où deux gros sacs marqués de la feuille d'érable rouge du Canada trônent déjà sur un fauteuil vétuste.

— Vous ne serez pas seul, dit monsieur Frantz. Il y a déjà deux de vos compatriotes.

— Pas vraiment. Ce sont probablement des anglophones.

Monsieur Frantz me regarde, intrigué, mais ne dit rien. Nous repartons. Je suis terrifié à l'idée d'être à nouveau seul. Sur le pas de la porte, il propose enfin à mon grand soulagement que nous nous retrouvions en fin de journée et que nous dînions ensemble.

— Je vous laisse choisir votre direction, ajoute-t-il avec un sourire quand nous sommes sur le trottoir.

Je choisis l'Avenida da Liberdade. Cette grande avenue me rassure, avec ses façades classiques du siècle dernier où s'étalent les noms familiers de grandes entreprises multinationales. J'achète un journal et je m'assois à une terrasse pour manger un sandwich et boire une bière. Il ne fait pas très chaud et je dois remonter la fermeture éclair de mon blouson.

❖

Les nouvelles internationales deviennent de plus en plus inquiétantes. Le schah d'Iran est en fuite et les hommes de l'ayatollah Khomeiny semblent contrôler la situation. Les frontières sont fermées. Dans les grandes capitales se manifeste déjà la crainte que le conflit se propage et enflamme tout le Proche-Orient.

J'ai fini de manger et je réfléchis à mon itinéraire en fumant des cigarettes et en observant le va-et-vient des passants. J'envie leurs occupations, leurs amitiés, leurs problèmes même, tout ce qui donne un sens à leur vie. Pour meubler le reste de l'après-midi, je décide de passer à la poste restante. J'espère, sans trop y croire, une lettre d'Angèle. Le garçon de café m'indique la direction à suivre. Ce n'est pas très loin et il est encore tôt. Dans le désarroi où je suis, j'éprouve presque du plaisir à marcher, à bouger, à avoir moi aussi un projet bien concret. En chemin, j'entre dans une boutique pour acheter des cigarettes et un plan-guide de la ville. Aimable, la commerçante me raccompagne jusqu'à la porte pour m'indiquer, à deux coins de rue, l'enseigne jaune de la Poste. Le bureau est situé au rez-de-chaussée d'une compagnie d'assurances. Le guichet de la poste restante n'ouvre qu'à seize heures. J'ai encore deux heures à perdre.

Je me promène dans les rues avoisinantes, assez dépourvues d'intérêt, puis je m'assois sur un banc pour feuilleter le petit guide que j'ai acheté. Lisbonne est si ancienne qu'on prétend qu'elle fut fondée par Ulysse. Au XVIIe siècle, la ville était plus importante, plus peuplée, plus raffinée que Londres ou Paris. Ses grands navigateurs en avaient fait la plus riche capitale de l'Europe. En 1755, un tremblement de terre l'a complètement détruite. Il faut visiter le château São Jorge, l'Alfama, le Carmo, la tour de Belém et le monastère des Hiéronymites, voir l'Avenida da Liberdade (j'y suis déjà), le Rossio et la ville basse, Baixa, que l'on prononce « baïcha ». Le fleuve s'appelle le Tage. On décrit les Portugais comme des gens graves, taciturnes, fiers, marqués par une vie rude, mais accueillants, simples et empressés. On ne dit rien des Portugaises.

Je retourne au bureau de poste mais le guichet de la poste restante demeure clos. Enfin, à ma troisième visite, une dame un peu sèche me demande mon nom, puis me le fait épeler. Elle sort d'une case une liasse d'enveloppes qu'elle passe rapidement en revue.

— Non, il n'y a rien, constate-t-elle finalement d'un ton neutre en remettant le paquet de lettres dans son casier.

À contrecœur, je la remercie et je me dirige vers la sortie. Je suis sûr qu'elle a mal regardé.

J'étire le reste de l'après-midi en flânant dans les rues. Je me rends à nouveau à la Praça dos Restauradores, je fais changer un chèque de voyage, glisse les escudos dans ma poche. Quand l'angoisse revient, j'accélère le pas, ou bien j'entre dans un magasin où je fais semblant de chercher quelque chose, juste pour ne pas être seul, pour être avec des gens dont la vie a encore un sens.

Je reviens à la pension à l'heure dite. Monsieur Frantz y est déjà en grande conversation avec un homme au visage triste, vêtu d'un habit noir, usé mais très propre. Il ne paraît pas du tout au courant de notre venue. Dans un français laborieux, il nous explique qu'il n'y a pas de chambres réservées à notre nom. Personne n'a appelé de la gare ou de l'Office du tourisme. Il en est certain. Il n'a pas quitté son poste de la matinée.

Nous n'y comprenons rien. Il veut bien nous aider mais il ne lui reste plus qu'une seule chambre, avec deux lits, et il nous faudra la partager. Monsieur Frantz demande à la voir. C'est une pièce tout en longueur, avec à une extrémité une porte-fenêtre ouvrant sur un balcon qui donne sur la place Alegria. Les lits, assez distants l'un de l'autre, sont situés de part et d'autre d'un petit meuble. Je suis un peu mal à l'aise à l'idée de partager la chambre d'un prêtre, mais je n'ai aucune envie de chercher autre chose à cette heure-ci. Quant au prix, c'est moitié moins cher que ce que nous pensions débourser.

— Eh bien, demande monsieur Frantz, qu'en dites-vous ?

Nous transportons nos bagages dans la chambre et décidons d'aller dîner.

❖

Monsieur Frantz a remarqué, pas très loin de la pension, un petit restaurant dont les prix lui ont paru raisonnables. Le garçon nous apporte le menu, que nous consultons en silence. En attendant qu'il vienne prendre notre commande, monsieur Frantz parle un peu de sa promenade dans Lisbonne. Il a visité le Jardin botanique. Les curés ont vraiment de drôles d'idées. Moi, je ne suis pas en voyage à Lisbonne, je suis en voyage dans une région sombre et tourmentée de mon âme. J'aimerais parler de ce que j'éprouve, de l'angoisse, de la Chose qui me poursuit. Je ne parviens pas à dire un mot. Je ne suis pas à l'aise. Je me sens tenu d'adopter un langage de convenance, plein d'onction et de précaution, qui m'empêche de m'exprimer réellement. Qu'y a-t-il de commun entre ce prêtre et moi ? La religion catholique et son Dieu à barbe blanche, il y a longtemps que je n'y crois plus. Que je ne vois dans son Église qu'une institution politique, une secte qui a réussi, qui s'est enrichie avec l'argent de ses fidèles qu'elle manipule à sa guise, une secte d'où toute trace de vraie religion a depuis longtemps disparu. Ça m'ennuie de savoir qu'il est prêtre et que nous dormirons ce soir dans la même chambre. Je n'ai pas envie de faire ma prière à genoux à côté de mon lit.

Le garçon apporte du pain et un litre de vin rouge. Monsieur Frantz me demande quels sont mes projets. Je réponds que je ne sais pas trop, que je cherche un endroit plus chaud, que j'ai besoin de soleil. Je n'ose pas lui confier que je suis mort de peur et que le seul endroit où je voudrais être, c'est à Montréal, chez moi, dans mon lit, avec une fille. Je m'ennuie de mes amis, de mon existence d'avant. Mais voilà, Angèle a pris une autre route, emportant avec elle la moitié de ma vie, alors je mange dans des restaurants minables avec des prêtres en habit d'ouvrier.

L'alcool heureusement finit par me dégeler un peu, par me rendre un peu plus volubile. Je le questionne sur ce pèlerinage dont il m'a parlé.

— Oh ! Je veux simplement me rendre au couvent de Beja. Vous connaissez ?

Sa question m'étonne. Je ne vois pas pour quelle raison je connaîtrais les couvents du Portugal.

— C'est le couvent de la Religieuse portugaise. Vous n'avez pas lu ce livre ?

Lettres de la Religieuse portugaise, cela me dit vaguement quelque chose, j'ai déjà aperçu ce titre dans le catalogue d'une collection de poche. Qui donc a écrit cela ? Diderot ? Choderlos de Laclos ?

— Ce sont des lettres anonymes, continue monsieur Frantz, des lettres d'amour passionnées, écrites par une religieuse, la belle Mariana Alcoforado, à un voyageur français qui l'avait séduite puis abandonnée. On les attribue parfois à un Français, un certain sieur de Guilleragues, un ami de Molière et de Mme de Sévigné.

— C'est curieux que vous, prêtre, vous vous intéressiez à une histoire aussi… heu… scandaleuse.

— Mais je ne suis pas prêtre ! Pourquoi dites-vous que je suis prêtre ?

— Mais parce que... c'est ce que vous m'avez dit ce matin, non ?

— Mais non, ce n'est pas ce que j'ai dit. Pas prêtre, peintre. J'ai dit que j'étais peintre.

Il a l'air insulté que j'aie pu le prendre pour un prêtre, et peut-être surtout que le quiproquo ait duré si longtemps. Je suis confus. Je m'excuse. Je n'ose plus rien dire, mais en même temps je suis bien soulagé.

Le garçon apporte notre repas. Silencieux, presque bouddeur, monsieur Frantz se concentre sur son poisson, le découpant avec des gestes précis, soulevant un filet et retirant l'arête. Un instant plus tôt, j'aurais cru que ces gestes étaient ceux d'un ecclésiastique. Je l'observe à la dérobée, en mastiquant précautionneusement ma sardine et en cherchant une façon de relancer la conversation. En même temps, j'essaie de me rappeler les propos que nous avons échangés jusqu'ici pour les réinterpréter à la lumière de ce nouvel éclairage. Je suis vraiment content qu'il ne soit pas prêtre et cela change toute l'image que je me suis faite de lui. Maintenant je vais pouvoir m'adresser à un être humain normal, à quelqu'un qui peut me comprendre. Je n'ai rien à perdre à dire ce que je pense et je me jette une nouvelle fois à l'eau.

— Vous savez, dis-je, je voudrais m'excuser de vous avoir abordé comme je l'ai fait tout à l'heure à la gare.

J'ajoute qu'il n'est pas dans mes habitudes de m'imposer de cette façon, mais que je n'avais pas le choix.

J'avais traversé dans le train une telle crise d'angoisse
que je croyais que j'allais devenir fou. Il fallait absolument que je parle à quelqu'un.

Monsieur Frantz relève la tête et, s'arrêtant de manger,
me regarde dans les yeux.

— Décidément, dit-il, vous êtes un bien curieux personnage.

Plus tard, nous revenons à la pension. La nuit, la rue
est différente et nous montons par mégarde à l'étage de
l'immeuble voisin de celui où nous logeons. À notre
grande surprise, nous y trouvons la Pensão Alegria, où
l'on nous attend depuis le midi. Nous expliquons notre
méprise à la propriétaire et nous convenons de revenir
le lendemain. Ce soir-là, nous partageons la même
chambre.

◆

Je me réveille, c'est la nuit et j'ai peur, aussi je t'écris
pour qu'il ne m'arrive rien. Je suis fatigué, je m'endors,
je veux dormir encore. Dehors tout est noir. Ce n'est
même pas l'aube, même pas le petit matin. Il reste des
heures et des heures avant que la clarté ne revienne, il
n'y a rien à espérer, c'est la nuit profonde et obscure.
J'ai l'impression que le malheur s'acharne contre moi,
me suce comme un os dont il faut tirer tout le jus. J'ai
peur que cela revienne, je ne veux pas y penser, j'ai peur
d'y penser, de me mettre à y penser. C'est un piège, une

pente glissante, quand on s'y engage on ne peut plus s'arrêter. Tout à l'heure, j'ai rêvé que je dansais une danse étourdissante avec une petite fille. Elle me regardait de ses grands yeux alanguis et pourtant joyeux, mon sexe se dressait contre elle et elle jouait avec en riant, je craignais d'éjaculer et qu'elle ne soit surprise ou choquée. J'aime mieux rêver n'importe quoi que de ne pas dormir.

Angèle, où es-tu, que fais-tu? À Montréal, ce n'est pas encore la nuit, dans quel bar rigoles-tu de ton bon rire jovial, perchée sur un tabouret, entourée d'hommes qui rêvent de passer la nuit avec toi? Je t'écris, Angèle, des lettres que je ne t'enverrai jamais, sur des bouts de papier qui se perdront un jour quelque part dans le monde et qui ne m'auront servi qu'à lutter contre la nuit. Lutter avec toi à mes côtés.

❖

Nous avons transporté nos affaires à la pension Alegria. J'aime bien ma nouvelle chambre. Grande, située sous les combles, avec un plafond en pente et une lucarne, elle me change des pièces anonymes et interchangeables où j'ai logé depuis Londres. J'ai rangé mes affaires dans les tiroirs de la commode et j'ai l'impression d'être un peu chez moi. Il y a des chambres étrangères où l'on éprouve tout de suite un sentiment de familiarité. Petit à petit, je remonte tranquillement à la surface.

Il fait froid à l'intérieur de la pension. J'ai sur le dos cette espèce de blouson bleu, plutôt informe, que je n'ai à peu près pas quitté depuis l'Irlande. Accoudé au bord de la fenêtre ouverte, je fume en regardant les toits de Lisbonne. Je fume. J'essaie d'être calme.

En étirant le cou à l'extérieur, j'aperçois une grande partie de la ville. Au loin, à gauche, posé comme une couronne au sommet de sa colline, le château Saint-Georges, avec ses tours crénelées et son chemin de garde à moitié dissimulé par des pins parasols. Plus bas, le vieux quartier, l'Alfama. À droite, une autre colline, qui mène vers la ville haute, le Bairro Alto. Devant moi, des toits de tuiles sans ordre apparent, où des lignes de fractures indiquent le tracé de rues que je ne peux pas voir. Le temps est gris mais il ne pleut pas.

Je repense à ce qui m'est arrivé. J'ai peur, j'ai peur de perdre la tête, j'essaie de ne plus y penser. J'essaie d'être calme, de rester calme. Je pense à toi. J'aimerais être avec toi. J'aimerais ne pas être seul. J'aimerais ne pas me sentir menacé par la Chose, cette chose qui n'est pas moi, qui est en moi, cette chose qui est folle, cette chose qui maintenant me guette.

❖

Chaque jour, je marche de la pension Alegria jusqu'au bureau de poste, dans l'espoir d'y trouver une lettre de toi. Je remonte l'avenue de la Liberté jusqu'au kiosque à journaux de la Praça dos Restauradores. J'achète *Le Monde* et je m'arrête quelque part pour boire un café. Il fait un temps étrange. Je ne parviens pas à savoir où je suis, dans quelle époque, dans quel lieu, sur quelle planète.

Chaque jour je marche dans les rues de Lisbonne, mais c'est comme si ce n'était pas moi qui marchais dans les rues de Lisbonne. Je marche. Je n'ai pas d'autre occupation que de marcher. Je marche et je n'avance pas. J'aime marcher dans les rues de Lisbonne et pourtant je ne vois plus rien. Je ne vois que cet abandon dans lequel je suis. C'est comme si je m'étais absenté de mon corps. Comme si j'étais ailleurs. Je ne vois pas la ville, je me vois dans la ville, je me vois aux prises avec moi-même dans une ville qui ressemble à ma peine, à ma détresse, à ma douleur, à ma souffrance.

Mon attention s'arrête un instant sur une femme qui passe, sur la façade colorée d'un édifice, sur un arbre d'une espèce que je ne connais pas, sur des ouvriers qui travaillent sans s'occuper de moi ; et puis j'oublie aussitôt ce que j'ai vu, je passe à autre chose, je regarde ailleurs. Des faits divers. Même pas. Le quotidien, l'ordinaire. Je sais déjà que je ne me souviendrai de rien.

Presque toujours, le temps est nuageux, incertain, et je traîne mon parapluie que j'ai bien hâte de pouvoir oublier quelque part. J'ai peur que toute ma vie ne soit comme ce voyage, tellement moins grandiose que ce que j'avais imaginé. Une vie sans apparitions, sans miracles, sans apothéose, sans conclusion. Une promenade banale. Une vie comme ça, qu'est-ce que c'est ?

❖

Monsieur Frantz frappe à ma porte. Il me propose de l'accompagner au château São Jorge. « Il faut toujours avoir un point de vue élevé sur les choses », dit-il, sans que je sache s'il est sérieux ou non.

Dehors, Lisbonne paraît plus ocre que blanche, sous un ciel lourd et sans lumière, un ciel qu'on ne regarde pas, dont on n'attend rien. Il ne fait pas très chaud, les gens ont mis leur manteau. Dans le petit tramway jaune qui nous emmène en haut de la colline, j'observe monsieur Frantz paisible et calme dans le matin gris. Il a posé sa casquette sur ses genoux ; son front dégarni lui donne l'air d'un penseur ou d'un sage. Une tête de moine bouddhiste, avec sa calvitie naissante, ses cheveux blonds et rares sur le sommet de la tête. Sur ses pommettes un peu saillantes, de petites veines brisées, comme dessinées à l'encre rouge. Bouche assez mince, nez légèrement aquilin. Je me dis que moi aussi j'aurai des rides comme ça, un jour.

Il se tourne vers moi comme s'il avait senti mon regard posé sur lui. Curieux personnage… Monsieur Frantz ne parle pas beaucoup de sa vie mais l'image que je me fais de lui change chaque jour. Hier, il m'a avoué que, peintre, il l'était plus ou moins. En fait, il ne peint plus.

Il n'a pas touché à un pinceau depuis des années. « De toute façon, je n'étais pas un grand peintre », avait-il ajouté comme pour me rassurer.

Du château, nous avons sur Lisbonne la vue imprenable promise par les guides et les dépliants touristiques. Sous le ciel gris, la ville s'étage sur ses collines. Sur le fleuve, très large, des dizaines de bateaux vont et viennent en tout sens, dans le plus grand désordre. Seul le soleil manque. Nous regardons sans parler. Je n'ai rien à dire. Je me demande ce qui se passe dans la tête de monsieur Frantz, que je regarde regarder. Je pense à Angèle.

Je pense à toi. Je n'ai pas grand-chose à dire, je ne voudrais parler que de toi. Je pense à toi quand je marche dans les rues, quand je suis assis dans les petits tramways qui m'emmènent ici et là à travers la ville, quand je me réveille, quand je m'endors. Je ne peux plus penser sans toi, Angèle, tu es là, à l'intérieur de moi, tu existes là tout entière, toute ton âme en moi, la trace de ton âme, son empreinte comme une cicatrice, le souvenir perpétuel de ton absence. Je sombre dans un romantisme démodé. Je retourne tout cela dans ma tête au lieu de regarder le paysage et d'être heureux. Voilà, je suis à Lisbonne, au Portugal, et je pense à toi, encore.

◈

Nous restons là quelques minutes, silencieux, puis nous marchons le long du chemin de garde qui couronne les remparts. Je commence à avoir froid et je me méfie de la grippe ; je crains qu'un affaiblissement physique n'entraîne une fragilité de l'esprit qui me rendrait de nouveau vulnérable à l'angoisse qui sommeille en moi. Au bout d'une quinzaine de minutes de marche, je suggère que nous revenions. J'ai envie de prendre un verre, il me semble que seul l'alcool parviendra à me réchauffer.

En contrebas, à l'intérieur de l'enceinte, il y a un parc avec des balançoires, quelques paons qui marchent les plumes serrées, de rares promeneurs. Nous revenons par là, à l'abri du vent. Puis nous traversons l'Alfama, le vieux quartier où nous nous sommes égarés à notre arrivée. De ce côté, la ville déboule à travers une série de petites rues, coupées d'escaliers, de venelles et d'impasses, qui mènent jusqu'au bord du Tage. Il suffit de suivre la pente. De temps à autre, une petite place, une trouée entre deux maisons nous permettent d'apercevoir le fleuve qui nous sert de point de repère.

Monsieur Frantz s'arrête parfois pour observer, avec un sans-gêne qui m'étonne, à l'intérieur des maisons ou des cours. Il se tient devant les portes ouvertes, les bras ballants de chaque côté du corps, comme un paysan devant une caméra. Si quelqu'un survient, il trouve toujours quelque chose d'aimable à lui dire. Il pose des questions, baragouine en portugais et semble parfaitement à l'aise.

Nous finissons par nous asseoir dans un restaurant bon marché et nous commandons à boire et à manger. Il n'y a pas d'autres clients dans ce petit établissement tout sombre et le patron nous sert en traînant les pieds, absorbé dans la lecture de son journal qu'il poursuit au coin du bar. Nous buvons de l'*aguardente*, l'« eau de feu » locale qui brûle la bouche et réchauffe de la tête au pied. L'alcool me fait du bien.

Nous discutons de tout et de rien. Nous faisons « un peu de philosophie », comme dit monsieur Frantz, c'est-à-dire que nous parlons de la vie, de la mort, des livres que nous avons aimés, et très peu de nous-mêmes. Monsieur Frantz demeure silencieux sur tout ce qui a trait à sa propre existence. On pourrait croire qu'il cherche à cacher quelque chose, ou peut-être simplement ne veut-il plus y penser. Une femme ? Une famille ? Une histoire qui a mal tourné ? Je suis obligé de lui imaginer tout un passé, que je corrige peu à peu pour y intégrer les nouvelles informations qu'il me glisse malgré lui.

Il parle très bien français. L'étendue de son vocabulaire, sa maîtrise des conjugaisons, ses structures syntaxiques toujours correctes m'impressionnent. Il se débrouille parfaitement avec le passé simple, le conditionnel, le subjonctif. Son léger accent allemand donne un charme supplémentaire à ses propos, même si à l'occasion il me fait confondre un mot avec un autre. Je dois alors procéder à certains réajustements rapides quand la suite de la phrase prend un sens différent de celui que j'avais d'abord imaginé. De toute façon, je me doute bien que lui aussi doit éprouver quelques difficultés avec mon accent, même si depuis Paris j'ai pris l'habitude d'utiliser une sorte de français international qui me paraît châtié et dans lequel je me sens aussi à l'aise que dans un complet-veston, étranglé par une cravate. Je suis toujours un peu crispé, un peu tendu, jamais tout à fait naturel. Je pèse mes mots, j'essaie d'éviter les expressions trop québécoises. J'ai le sentiment de parler moi aussi une langue étrangère, qui m'empêche de dire les choses avec toute la spontanéité que je voudrais.

Je raconte à monsieur Frantz ce que j'ai lu. Le tremblement de terre, l'incendie, le raz de marée, les cent mille morts. Monsieur Frantz dit que c'est très bien, les cataclysmes, car ainsi l'homme n'a pas besoin de se sentir coupable de toutes ces morts qui seraient survenues de toute façon. On peut toujours s'imaginer qu'on aurait pu éviter une guerre, mais on sait qu'on ne peut rien contre un cyclone, contre un volcan. C'est ce que les Anglais nomment un *act of God*, pour ne pas payer les assurances, mais, au fond, tout n'est-il pas toujours action de Dieu ?

Je ne peux m'empêcher de penser aux grands massacres de l'Histoire et, parce qu'il est allemand, à la dernière guerre mondiale. Monsieur Frantz n'aime pas beaucoup les Allemands. C'est ce qu'il m'a dit. Quand il m'a rencontré, le premier jour, il s'est d'abord méfié de moi, me prenant pour un de ses compatriotes. Il ne les supporte pas. Il apprécie l'Allemagne historique, mais l'Allemagne contemporaine lui laisse un goût amer.

Un souvenir me revient à l'esprit, celui d'un tout petit musée que j'avais vu en Grèce. À la porte, un écriteau affichait en trois langues : « L'entrée de ce musée est interdite aux Allemands. » La guerre était finie depuis trente ans et les Allemands et les Allemandes ce jour-là étaient de jeunes touristes blonds et bronzés qui baissaient la tête et repartaient en laissant derrière eux un malaise.

Monsieur Frantz me regarde de ses yeux bleus, d'un bleu un peu gris, où passe toujours un sourire ironique. Il dit que la vie n'est pas aussi importante qu'on le croit. Notre mort individuelle nous obsède et pourtant nous sommes si peu de chose. Il meurt des milliers d'hommes chaque jour. Du point de vue de l'individu, la mort est un affront personnel mais, du point de vue de l'espèce, nous ne sommes que des moyens, des instruments, des outils… et pa pi pa po.

Et pa pi pa po. Il termine souvent ses phrases par cette expression curieuse qui m'a semblé signifier selon les circonstances quelque chose comme « et ainsi de suite » ou « tout le monde sait ça, pas la peine d'insister », parfois « comme ci comme ça » ou « la vie continue ».

Nous revenons à l'hôtel vers seize heures. Il a recommencé à pleuvoir.

◈

Il est encore tôt. Je regarde souvent ma montre. Je ne sais pas quoi faire. J'ouvre parfois la fenêtre de la lucarne, je fume. Dehors, il pleut. Mais qui donc m'a mis dans la tête que je devais partir, que je devais trouver la vérité, que je la trouverais sur les routes ?

◈

Je m'étends sur le lit. J'essaie d'écrire, mais aussitôt l'ombre de la Chose se met à planer au-dessus de moi. Je deviens fébrile. J'ai peur. J'essaie de rester calme. L'averse a cessé et maintenant c'est la nuit qui vient. J'ai peur. Peur d'être abandonné dans un monde dénué de sens et de considération pour la pensée individuelle. Tout cela est construit sur du vent, sur des mots. Toute cette rationalité, qui n'est rien. Toute cette logique à laquelle le monde ne correspond pas, jamais. J'essaie de me calmer mais je n'y parviens pas, trop de choses se bousculent dans mon esprit. Ma pensée manque d'un centre quelconque à partir duquel je pourrais ordonner mes idées. Ma pensée est faite de milliers et de milliers d'informations qui ne sont reliées par aucune structure, aucune organisation. Je voudrais dormir. Je t'écris comme d'habitude pour me sauver et ne pas devenir fou, ne pas devenir un pauvre type qu'on ramasse, dont on s'occupe par charité. Si je ne t'écrivais pas, je ne sais pas ce que je ferais.

◈

Dans les petites rues juste derrière la pension, il y a des prostituées qui le soir venu nous abordent avec leurs trois mots d'anglais : « *You want fucki-fucki ? Good fucki-fucki ?* » Ce ne sont pas des filles très sexy, très excitantes. Quand je suis avec monsieur Frantz, nous faisons semblant de les ignorer. Je ne sais pas pourquoi, je ressens comme une gêne en sa présence. L'image du curé m'a fait si forte impression que je n'arrive pas à la chasser de mon esprit.

◈

Souvent le matin je retrouve monsieur Frantz au petit-déjeuner. Il y a une petite salle au premier étage de la pension où l'on a installé quelques chaises et quelques tables. Une dame taciturne nous apporte de grandes tasses dans lesquelles elle verse un peu de café noir qu'elle noie dans beaucoup de lait chaud. Le liquide qui en résulte est assez imbuvable. Des tranches d'un pain lourd, à la mie jaune, accompagnent cette boisson médiocre et, dans une petite assiette, deux ou trois bâtonnets de ce que monsieur Frantz appelle de la pâte de coing, une sorte de confiture ou de gelée plutôt amère dont la consistance rappelle le massepain.

Nous bavardons de tout et de rien. Je demande à monsieur Frantz des nouvelles de Lola. Dès le premier jour de notre installation ici, il a rencontré Lola. Il a d'abord entendu des bruits, la nuit, des sortes de grattements. Le lendemain, il l'a aperçue, cachée dans un coin de la pièce, une petite chose grise, qui le regardait d'un air effronté, en faisant bouger ses moustaches. Il l'a trouvée « très gentille ». Nous en parlons comme d'une amie qui serait en voyage avec nous. Au restaurant, il subtilise toujours de petits morceaux de pain ou de fromage qu'il glisse dans sa poche, « pour Lola ».

Nous profitons du petit-déjeuner pour organiser notre journée, décider si nous irons quelque part ensemble ou convenir d'une heure où nous nous retrouverons pour le repas du soir.

Monsieur Frantz est plus occupé que moi. Il a décidé de demeurer à Lisbonne et se cherche un emploi. J'ai cru un moment qu'il entendait mettre à profit ses talents de polyglotte : il parle fort bien français, anglais et allemand, peut-être d'autres langues aussi. Mais ce n'est pas son idée. Il veut faire un « petit métier », comme il dit. Il admire beaucoup les artisans, les travailleurs manuels. L'autre jour, il regardait avec attention les balayeurs de rue. Ce sont le plus souvent des Noirs en salopette, venus sans doute d'anciennes colonies, qui poussent des balais de branches avec élégance, sans se presser. Il rêve de faire ce travail.

Il aime bien aussi observer les cantonniers qui refont les mosaïques des trottoirs et nous nous arrêtons souvent dans nos promenades pour les voir préparer le lit de sable, disposer les pierres noires et blanches et les mettre en place à l'aide d'un pilon de bois. Il lui arrive d'entrer dans des garages, pour regarder faire les mécaniciens, s'informant ensuite auprès de moi pour savoir si « on fait aussi comme ça en Amérique ». L'autre jour, passant devant la porte ouverte d'une échoppe, il s'est arrêté en voyant à l'intérieur un homme occupé à fabriquer une cage d'oiseau. Il est resté là, à observer ses gestes, jusqu'à ce que l'ouvrier lui parle. Il lui a posé quelques questions sur sa technique et l'a complimenté, toujours dans son portugais approximatif.

Tous les matins, il achète le *Diario de noticias* dont il consulte les offres d'emploi, qu'il traduit à l'aide d'un dictionnaire. Il téléphone à des entrepreneurs en menus travaux, ou pour des postes de concierge. Je l'entends se débrouiller au téléphone avec des interlocuteurs plus ou moins convaincus, qui ne semblent pas comprendre grand-chose à son charabia. Il parle d'un ton calme, répète toujours les quelques phrases qu'il a apprises. Malgré sa méconnaissance du portugais, il se présente à des entrevues. Ça ne marche jamais. Quand il revient, il me regarde avec un sourire plein d'humilité, l'air de dire : bon, ce n'est peut-être pas encore tout à fait ça. Mais il ne se décourage pas. Il aimerait bien rester ici. Il aime la simplicité des gens. Il apprécie que Lisbonne soit une grande ville et qu'on ne s'y sente pas bousculé.

Moi, je ne sais pas combien de temps je resterai. Je dois décider de mon itinéraire, m'informer sur les moyens de transport, recevoir un dernier vaccin. Il faut que je me renseigne. J'irai à l'ambassade. J'imagine que je devrai traverser l'Afrique et prendre un bateau quelque part pour franchir l'océan Indien. Un cargo, peut-être. Je n'avance plus parce que je ne sais pas où aller. Les choses ne se déroulent pas comme je l'avais prévu et je m'inquiète de voir les jours passer sans que je me sois approché en rien du but de mon voyage, sans que j'aie avancé vers des climats plus doux, des latitudes plus clémentes.

L'autre jour, monsieur Frantz m'a dit : « Vous, vous êtes en route vers l'Inde. Moi, je suis rendu au Portugal. »

❖

Il n'y a presque personne dans l'autobus à impériale qui nous emmène à Belém, à quelques kilomètres de Lisbonne. En bons touristes, nous allons visiter le célèbre monastère des Hiéronymites. Avant de partir, j'ai acheté le journal. La situation en Iran me trouble. Je ne connais rien à cette partie du globe. Je croyais traverser en paix cette région, avec la curiosité légitime du pèlerin, sous l'œil bienveillant des indigènes. Je découvre la colère des musulmans, leur haine de l'Occident, la cohésion de l'islam. Je deviens malgré moi un Blanc, un Occidental, pire encore : un chrétien, moi qui ne me sens rien de tout cela.

Malgré le soutien des Américains, le schah résiste de plus en plus mal. L'impensable semble sur le point de se produire. Le conte de fées est sur le point de prendre fin ; princesses souriantes, palais opulents, salles somptueuses, tissus précieux, fêtes raffinées, tout sera déchiré par des hordes vociférantes de barbares barbus. Il me semble que l'idée même de civilisation devient irréelle, fragile comme une bulle de verre, un bijou trop fin, comme si le monde ne pouvait plus durer, allait finir. Et moi, dans tout ça ?

Monsieur Frantz dit que je perds mon temps à lire les journaux. La politique est une chimère. L'actualité, une agitation dont il n'y a rien à retenir. Un jeu coloré qui ne va dans aucune direction particulière et se répète sous des formes infinies. Hypothèses, conjectures et petits faits dénués de signification. Il a toute une théorie sur le sujet. Un journal ne correspond à rien de réel. Sous ses apparences concrètes, il représente une vision totalement abstraite des choses. Personne ne vit réellement dans cet univers. La vraie vie ne se trouve nulle part ailleurs que dans ce que l'on vit. Les journaux ne sont pas pleins de sang, c'est le contraire : ils en sont totalement dépourvus. Il y a le mot sang, il y a l'image du sang, mais il n'y a pas de sang.

Il me raconte une histoire. Ça se passe en 1946. C'est l'histoire d'un berger qui vit dans les Alpes, en Suisse. C'est un pâtre un peu simple d'esprit, qui vit en solitaire. Il ne descend presque jamais de sa montagne, il garde son troupeau là-haut, près des cimes. Quand il vient au village, il ne parle à personne, sinon pour échanger quelques bricoles, vendre des fromages, et repartir aussitôt qu'il le peut. Un jour, il a besoin d'un médecin. On doit l'emmener jusqu'à un hôpital en ville pour l'opérer. La garde-malade qui s'occupe de lui finit par gagner son amitié. Elle parle avec lui, d'abord de sa vie à lui, puis de la sienne. Elle est française, plus exactement alsacienne. Pendant la guerre, elle a dû fuir son village. Ses parents ont été tués dans un bombardement. Il la regarde avec l'air de quelqu'un qui ne comprend pas. Alors, elle se rend compte qu'il ne sait pas qu'il y a eu la guerre, la Deuxième Guerre mondiale. Il menait paître ses chèvres. Au milieu de tout ce feu, ce fer, ce sang, il menait paître ses chèvres, il n'a vu que le ciel bleu par-dessus les Alpes. Pour lui, la Deuxième Guerre mondiale n'a jamais existé.

Comme je ne dis rien, monsieur Frantz ajoute : « Et pa pi pa po... »

Ce qu'on ne connaît pas existe-t-il ? Ce dont on n'a jamais entendu parler ? L'arbre qui tombe au milieu de la forêt vierge, la banquise qui dérive dans la blancheur polaire, les étoiles au fin fond de leurs galaxies ? Le gourou que je n'ai jamais vu ?

❖

L'autobus s'arrête en face du monastère. Monsieur Frantz remet sa casquette, allume une cigarette ; le voilà redevenu portugais.

Nous marchons jusqu'au cloître. Nous en faisons le tour sans parler, déambulant calmement le long des arcades. Partout la pierre fuse, jaillit, retombe, s'égoutte, éclate, rebondit. La pierre mobile, vivante. Je ressens les mêmes sentiments que j'ai éprouvés le mois dernier à Dublin, à la bibliothèque de Trinity College. Sentiments de paix, d'harmonie, d'admiration pour ces temps bénis où chaque détail comptait, méritait des heures d'attention ; comme si la patience et l'application qui avaient présidé à cette construction m'atteignaient intimement, m'instillaient quiétude, douceur et sérénité.

Pour passer du monastère à la tour de Belém, il nous faut traverser deux grands parcs de stationnement presque déserts, asphaltés et plats. Pendant que nous marchons, il commence à pleuvoir, quelques gouttes, pas assez pour que j'ouvre mon parapluie. Je me dis que j'aimerais pouvoir sauter des bouts de ma vie, faire du montage, comme dans un film, vivre comme dans un roman, en ne gardant que les moments intenses, significatifs, importants.

Nous pénétrons à l'intérieur de la forteresse. Après avoir visité les étages, les balcons, les loggias, la salle du Roi, nous descendons dans les caves, situées sous le niveau du fleuve, où l'on gardait autrefois les prisonniers. Tout en pierre, voûtée, la salle qui mène aux cachots produit un étrange écho qui répercute chaque son, chaque bruit, en vagues successives. Il n'y a pas d'autres visiteurs. Monsieur Frantz, debout face à un angle de la pièce, se met à psalmodier doucement le mantra classique, *om mani padme aum*. Les syllabes sacrées vibrent et se répercutent dans tous les sens, se bousculent et s'emmêlent les unes aux autres dans un tourbillon de sons qui emplit la pièce d'un bourdonnement sourd, multiple, qui devient peu à peu présence palpable, physique, matérielle. *Om... ma... ni...* La voix de monsieur Frantz se change tout à coup en une polyphonie mystérieuse, une multitude de voix qui à la fin se rejoignent toutes dans un dernier *om*, une seule note soutenue, obstinée, dans laquelle viennent se fondre toutes les autres. Nous écoutons sans rien dire ce son qui semble ne vouloir jamais finir.

◈

Et si monsieur Frantz était en vérité un moine bouddhiste, un mystérieux envoyé, un ange gardien mis sur ma route pour me protéger, me guider, me venir en aide ? Je suis prêt à croire n'importe quoi pour donner un peu de sens à mes malheurs.

◈

J'aime bien, en m'éveillant, allumer la lampe sur la table de chevet et lire, bien au chaud dans ma chaleur et dans celle du livre. Je lis beaucoup depuis que je suis à Lisbonne, j'ai le temps de lire, il y a beaucoup d'heures à occuper dans une journée. J'ai découvert deux ou trois endroits près de la place du Commerce, des magasins de souvenirs pour touristes, qui offrent des livres d'occasion en anglais, en français, en allemand, abandonnés là par des voyageurs encombrés. On y trouve toutes sortes de choses. Des best-sellers, des guides de voyage, des livres de psychologie populaire, d'autres sur les ovnis, le paranormal. Quelques bons auteurs parfois, en petit nombre : Hemingway, Henry Miller, Anaïs Nin, Scott Fitzgerald. Hier, j'ai mis la main sur *La formation de l'acteur* de Stanislavski, que j'ai acheté en pensant à Angèle. Il y a longtemps que je voulais le lire. Ça parle de moteurs de la vie psychique, de ligne de comportement du personnage, de mémoire affective, d'état créateur... J'ai pensé pouvoir en tirer profit pour écrire. Peut-être vais-je pouvoir transformer monsieur Frantz en un vrai personnage...

Il fait froid ou il pleut, je n'ai pas envie de sortir. Je reste au lit, à rêvasser, à penser, à ressasser mes vieux souvenirs. J'aurais aimé être dehors, dans le monde extérieur, avoir un projet clair, des objectifs précis, un but.

Mais je suis un écrivain, un écrivain qui n'écrit pas.
Peut-être même pas un écrivain, peut-être un pèlerin,
un pauvre pécheur en route vers un lieu de pèlerinage
non identifié, un pèlerin d'aucune religion, en route vers
lui-même, sachant pourtant qu'il est toujours là.

❖

Parfois, monsieur Frantz m'invite à prendre un verre
d'Izarra dans sa chambre. « Izarra, liqueur aux herbes des
Pyrénées », précise-t-il, qu'il a achetée pour je ne sais
quelle raison, en souvenir de je ne sais quel événement.
Il me demande comment s'est passée ma journée ; je
m'informe des résultats de ses démarches pour trouver un
emploi. J'essaie de savoir quel métier il a exercé avant.
À nouveau, ses réticences. Je finis par apprendre qu'il a
travaillé comme *ship's chandler*. Je ne connais pas ce
terme. Il a oublié l'équivalent français. Peu importe, ça
a quelque chose à voir avec les bateaux, leur ravitaille-
ment. À Hambourg. Autrefois. Dans l'entreprise fami-
liale. « Ça ne m'a jamais intéressé. J'ai tout plaqué là. »
Mon imagination se met aussitôt en marche. Je lui
invente un nouveau personnage : riche héritier d'une
grosse entreprise. Enfance dans le luxe, les beaux quar-
tiers. Éducation dans des collèges réservés à une élite.
Peut-être a-t-il laissé derrière lui une jolie femme, quelques enfants, une grosse Mercedes.
Monsieur Frantz a déjà changé de sujet.

— Vous avez écrit aujourd'hui ?

Cela me rappelle Angèle, notre dernière conversation à laquelle je repense souvent. J'expose à nouveau ma théorie. L'écriture est une maladie. Elle peut vraiment rendre malade, si on ne prend pas certaines précautions. L'écriture est dangereuse, moi-même elle m'a rendu à moitié fou. Quand on écrit, le monde se met à changer. Tout devient symbole, signe, métaphore, présage. Exactement comme pour ces malades, schizophrènes ou paranoïaques, qui lisent dans tous les événements des confirmations de leurs appréhensions, de leurs craintes, de leurs désirs. Schizophrénie ou paranoïa, l'écriture est une maladie mentale.

Monsieur Frantz dit que, selon la plupart des gourous, c'est le mental lui-même qui est une maladie. Puis :

— Avec des idées comme celles-là, vous allez avoir beaucoup de mal à écrire un livre.

— Ce n'est pas grave, je n'en écrirai plus. De toute façon, il y en a déjà assez. Trop, même.

— Vous exagérez, dit monsieur Frantz.

Je ne sais pas si j'exagère. La vérité est que je n'y crois plus. La vérité est que ce travail me laisse toujours aussi insatisfait. Chaque mot que j'écris me semble prendre la place d'un autre. Chaque phrase que j'écris s'écrit aux dépens de celles qui ne s'écrivent pas, qui auraient pu s'écrire. Je me méfie des mots, de leur accumulation. Des mots, on peut en accumuler sans raison, sans arrêt, mots

venus d'on ne sait où, s'attirant les uns les autres, s'agglu-
tinant comme de la matière morte, dépôts, sédiments,
lie, boue, limon, faisant obstacle à la lumière. Je n'ai rien
à dire, pas de message à transmettre, pas de révélation.
Je n'ai pas de révélation à faire parce que je n'ai pas reçu
de révélation, parce que la vérité ne m'a pas été dévoilée.
J'aurais dû me taire et pourtant je voulais dire que je ne
savais pas, que personne ne savait.

Alors oui, j'exagère. Je dis que ce n'est pas ça, la littérature. Que, pour faire de la bonne littérature, il faut
commencer par sortir de la littérature. Que chaque livre
doit réinventer la littérature, sinon à quoi bon.

Monsieur Frantz dit que je me trompe de genre, que
je ne fais pas de la littérature mais de la philosophie.

— Vous essayez de résoudre un problème métaphysique
et vous en faites une question de style, dit monsieur Frantz.

❖

Nous passons par le quartier des prostituées. Le soleil
vient de se coucher. Il n'y a personne dans les rues à
cette heure-ci. Monsieur Frantz propose que nous prenions un verre avant d'aller manger. Tout comme moi,
il est intrigué par ces petits bars aux portes closes, parfois
annoncés par une enseigne au néon, parfois à peine signa-
lés. Je pousse une porte rouge et massive et nous nous
retrouvons dans une salle déserte, plongée dans une demi-

obscurité. Nous hésitons un instant mais le patron est déjà à côté de nous. Il nous installe à sa meilleure table, nichée dans une alvéole et entourée sur trois côtés de banquettes capitonnées. Nous commandons des bières pendant que nos yeux s'acclimatent à l'éclairage. De petites lampes, fichées ici et là dans les murs, laissent partout de grandes zones d'ombre. Le bar est situé tout au fond. Il n'y a pas d'autres clients. Une femme plutôt élégante nous apporte nos consommations et engage la conversation. Je ne comprends pas tout de suite ce qui se passe. Elle n'a pas l'air pressée et, tout naturellement, s'installe sur la banquette à côté de moi. Je m'éloigne un peu pour lui faire de la place, mais elle se rapproche, sa cuisse serrée contre la mienne. Souriante, charmante, elle fait signe à une copine de venir la rejoindre. Celle-ci se glisse près de monsieur Frantz. Elle porte sur les épaules une écharpe de fourrure qu'elle laisse retomber, révélant un décolleté généreux.

Elles s'appellent Isabel et Maria. On ne nous avait pas dit que les Lisboètes étaient à ce point chaleureuses. À tout propos, elles nous prennent la main, se collent contre nous, nous frôlent de leur bouche. En anglais, nous parlons de tout et de rien, de Lisbonne et du temps qu'il fait. Leur vocabulaire est limité. Monsieur Frantz en profite pour mettre en pratique ses rudiments de portugais. Il demande des éclaircissements sur certains mots, sur leur prononciation. C'est ainsi que nous apprenons qu'Isabel est *gravida*, gravide, enceinte. Le père a disparu, la vie est difficile, comment fera-t-elle pour s'occuper du bébé… Monsieur Frantz la trouve émouvante, il s'attache aussitôt à elle. Nous avons fini nos verres. Rieuse, Maria demande subitement si nous avons envie de faire l'amour. Nous sommes tous les deux un peu mal à l'aise. Peut-être monsieur Frantz n'en a-t-il pas envie, peut-être se demande-t-il si j'en ai envie. Nous n'osons pas nous compromettre. Nous ne disons ni oui ni non. Nous leur payons un dernier verre, puis nous prétextons que nous n'avons pas encore dîné. Nous les laissons, en promettant de revenir.

Au restaurant, monsieur Frantz me reparle d'Isabel. Il prétend qu'elle n'est pas vraiment une prostituée, qu'elle est différente. Elle n'est pas comme Maria, qui ne pense qu'à s'amuser. Il a senti quelque chose en elle. Elle n'est ni légère ni superficielle. Il s'inquiète pour elle, pour son enfant.

Je me moque un peu de lui. Je lui dis que Lola sera jalouse. L'Izarra et les bières que nous avons prises aidant, je prétends qu'il est amoureux. Ça m'amuse de le regarder. Je lui trouve quelque chose de comique, de naïf, sous ses dehors un peu austères.

— Je ne suis pas amoureux, dit monsieur Frantz, qui semble prendre ma remarque au sérieux. Je l'ai déjà été…

J'attends qu'il poursuive.

— Et pa pi pa po…

Je comprends parfaitement ce qu'il veut dire. La vie continue, et comme ci comme ça.

❖

Je me réveille, c'est la nuit encore, j'ai un nœud dans le ventre, un poids qui pèse sur ma poitrine, dont j'essaie de me libérer en respirant à fond, mais qui ne s'en va pas. La même question revient toujours me hanter : que sommes-nous venus faire sur la terre ? De plus en plus, il me semble que nous ne sommes pas venus pour nous amuser.

Et dire que nous cherchons le bonheur… Alors que tout finit par la mort, que tout passe, se fane, se meurtrit, souffre, que nous le voyons bien, que nous l'avons toujours sous les yeux. Tout serait tellement plus simple si nous cherchions la guerre, la lutte, la maladie, les blessures, les défaites, si nous avions hâte de mourir pour être débarrassés de cette illusion, pour nous réveiller de ce mauvais rêve.

❖

C'est dimanche. Monsieur Frantz est parti rencontrer un ami, un metteur en scène allemand, dont il a par hasard retrouvé la trace en voyant son nom sur une affiche. Je ne sais pas qui c'est. Un metteur en scène connu. Je me suis inventé toute une histoire autour du thème : monsieur Frantz, comédien. Déçu par le théâtre, ou par l'amour.

Cherchant à fuir son passé dans cette ville immobile, à tout oublier. Oui, pourquoi pas ? Jouant la comédie du réel, jouant à ne plus être comédien, à n'être qu'un Allemand normal, à n'être qu'un Portugais pelletant du gravier, un Portugais avec une casquette, une pelle, un râteau, une mémoire vierge, blanche, vide.

Monsieur Frantz a vite éludé mes questions sur le sujet : un ami qu'il a connu autrefois en Allemagne. Il va sans doute dîner avec lui ce soir et ne sait trop quand il rentrera. La dernière fois qu'ils se sont vus, c'était à Avignon, il y a plusieurs années.

Monsieur Frantz m'a dit l'autre jour qu'il ne va plus au théâtre, ni au cinéma. Depuis quatre ou cinq ans, il n'a pas vu une seule pièce, pas un film.

❖

J'ai lu dans mon guide qu'il y a un marché aux puces dans l'Alfama. Je décide d'aller y jeter un coup d'œil. J'aboutis sur une petite place où quelques étals offrent leur marchandise à de peu nombreux amateurs. Il n'y a pas de musique, pas de soleil, rien de la fête que mon guide promettait. J'espérais voir quelques objets rares mais ce ne sont que des vieilleries sans intérêt, guère différentes de ce que l'on trouve chez nous. Quelques lampes, des bibelots produits en série, de la vaisselle disparate et autres objets dont un voyageur n'a pas besoin.

Je m'attarde devant des caisses de livres où l'on trouve quelques titres en français et en anglais. Je finis par acheter un volume de la correspondance entre Miller et Durrell et le tome 3 du *Journal* d'Anaïs Nin.

Je cherche s'il n'y aurait pas quelque part une jolie fille à qui de toute façon je ne saurais pas quoi dire. Même pas. Que des gens ennuyeux, ennuyés. C'est comme si rien n'avait lieu. Je me dis qu'un peu de soleil, un peu de chaleur changerait tout. J'ai voulu voyager hors saison, voir la vraie vie des gens. Voilà ce que c'est, la vraie vie. La vraie vie des vraies gens est une chose difficile, sans lumière, où les jours se suivent et se ressemblent, avec leur labeur triste, leur lourdeur assurée, leur morne grisaille. La vraie vie des vraies gens n'est pas une partie de plaisir, sinon pourquoi serais-je parti ? La vraie vie des vraies gens est faite de petits gestes répétés, elle est sans éclat et, si elle ne l'était pas, je chercherais ailleurs, jusqu'à trouver la vraie misère, la vraie douleur, la vraie souffrance, le vrai malheur.

❖

Sur le chemin du retour, j'entre dans une espèce d'épicerie et j'achète une bouteille d'*aguardente* pour me saouler comme il faut. Pour me tuer le cerveau et ne plus m'entendre parler toujours, car il ne me reste que ça, les excès en tous genres, pour faire le vide en moi, un peu de silence dans mes pauvres neurones surexcités, énervés, épuisés, à bout. Je pose la bouteille sur la table, il est huit heures. Je regarde le mystérieux liquide qui m'étourdira, me changera, pensera à travers moi, à ma place. Je prends le verre à eau, je le remplis à ras bord et je bois comme on se suicide.

◈

Ce matin, j'ai mal à la tête. Je ne me souviens de rien mais je retrouve des indices, des traces, à partir desquels je peux reconstituer ce qui s'est passé... Je me rappelle que je voulais boire d'un trait le plus grand verre d'alcool que j'avais jamais vu... J'ai écrit quelques notes illisibles dans mon carnet... Je découvre avec surprise la lampe de chevet renversée, mes vêtements jetés par terre, mes livres et mon stylo sous le lit... Il me semble aussi que j'ai ouvert la fenêtre de la lucarne et chanté à tue-tête dans la nuit jusqu'à ce que des jurons en portugais me ramènent sur terre...

Oui, j'ai réussi à m'abandonner, à ouvrir les écluses, à laisser déborder l'énergie. Est-ce que je m'observais encore ? Oui, probablement, oui... Le carnet est là, avec mon écriture rageuse, emportée. Mais que faut-il faire pour agir de façon pure, pour se débarrasser de ce témoin encombrant, jusqu'où faut-il aller ? Que faut-il faire pour agir de façon pure et à qui alors faut-il s'en remettre pour que notre comportement ne devienne pas celui d'une bête tout entière soumise à ses désirs, remplie de colère, assoiffée de sexe, assoiffée d'elle-même, assoiffée du désir de s'avaler elle-même ?

Pourquoi toujours ces excès, dont j'ai honte ensuite, et pourquoi cette honte ? Excès de la nuit, de l'alcool, de la folie, insupportables à la froide lumière du jour. Comment peut-on entretenir d'aussi hautes pensées et se comporter de façon aussi dégradante, devenir un monstre qui ne pense qu'à lui, un monstre qu'on ne peut pas tuer qu'à moitié, qu'il faut tuer tout entier, qu'on peut bien faire semblant de ne pas voir mais qui demeure là, tapi au fond de nous, sous des couches de bonnes manières et de politesse, enrobé dans la fausseté et le mensonge, attendant son heure, l'heure où il ne pourra plus supporter d'être tenu prisonnier, d'être ainsi enfermé et soumis.

Qu'est-ce qui gronde en nous sous notre apparente civilité ? Bande de bêtes en rut courant le sexe à l'air pour se jeter les uns sur les autres, se l'enfoncer jusqu'à la garde, se le frotter jusqu'à la déraison. Mais n'a-t-on pas le droit de vouloir être plus qu'un homme, de vouloir être cet ange aux plumes blanches, aux ailes lisses, aux cheveux dorés, jouant une musique céleste par-delà ce corps de chair dont nous sommes affligés ?

Saoul, très saoul, soulagé, je m'étais masturbé et jeté sur le lit, où je m'étais endormi en ronflant.

❖

Je regarde mon corps et je vois une grosse larve, une masse molle, comme un têtard d'homme auquel auraient poussé des pattes avec des doigts. Je suis une grosse larve lourde qui dort dans un lit propre, entre des draps.

❖

J'ai décidé, avant de quitter Lisbonne, de coucher avec une prostituée. Je sors me promener dans les environs. Je retourne au bar où nous avons rencontré Isabel et Maria. Elles ne sont pas là. Après avoir bu un verre, j'arrête mon choix sur une fille qui n'est pas la plus belle mais qui m'a accroché avec un je ne sais quoi, une peau brune de gitane, une tache de naissance près de l'œil, une légère dissymétrie de la bouche qui donne à son sourire un petit air narquois, moqueur, espiègle. Et puis elle a de gros seins, que j'ai envie de voir et de toucher. Elle prétend qu'elle est étudiante. Nous nous entendons sur le prix et je la suis à l'intérieur d'un petit hôtel où l'employé avachi derrière un comptoir lui remet une clef tout en me jaugeant d'un coup d'œil.

La chambre est tout à fait moche et ordinaire. La fille se déshabille sans cesser de bavarder en portugais, des mots auxquels je ne comprends rien, sinon ici et là quelques *fucki-fucki*. Elle s'étend sur le lit où je la rejoins. Je caresse aussitôt ses beaux seins avec délectation, sans me gêner, tout en me rendant bien compte qu'elle s'en fout royalement. Je veux l'embrasser sur la bouche mais elle détourne la tête, souriant et répétant sans se lasser « *good fucki-fucki, goooood fucki-fucki* ». Elle s'empare de ma queue d'une main pour se l'introduire au plus vite. Je l'enfonce en m'efforçant d'avoir des pensées de vrai mâle, comme dans les revues pornos : « Tiens, salope, tu aimes ça, hein, tu aimes ça ? » Ça ne me réussit pas du tout. La dernière fois que je suis allé avec une pute, elle m'avait expliqué, tout en manipulant vigoureusement mon sexe, qu'elle ressentait à peu près la même chose que si elle faisait la vaisselle.

« *Good fucki-fucki* », répète ma souriante amie. Excité malgré tout par ce corps bien fait, à la peau d'un brun si agréable, je me laisse emporter par le rythme du plaisir. Comme je ne viens pas assez vite à son goût, elle me caresse l'anus d'un doigt, et je me soulage bientôt en elle à grands jets. Tout cela a duré dix minutes. Elle se relève sans perdre un instant, se lave à croupetons sur le bidet et la voilà rhabillée, toujours de bonne humeur. J'allume une cigarette, je me lave et me rhabille à mon tour, plus penaud que satisfait. Ce n'est pas comme ça que j'aime faire l'amour. J'ai l'impression de m'être fait avoir. J'aurais aussi bien pu me masturber et faire des économies.

En sortant de l'hôtel, elle insiste pour que je lui paie un dernier verre. Nous retournons au bar. Je sens sur moi les regards des autres filles, du patron. Je me demande ce que tous ces gens pensent, que je suis un éjaculateur précoce ou quoi ? La conversation est de toute façon impossible, je vide mon verre et je m'en vais après m'être retenu de l'embrasser. Voilà. Merci pour le service. *Good fucki-fucki.*

❖

Cette nuit, j'ai bien dormi. Je me sens un peu mieux, un peu moins mal en tout cas. À peine tendu, à peine crispé, à peine inquiet. Juste un petit serrement au niveau de l'abdomen, une très légère peur, mais rien de suffocant, rien de déchirant. Je prends une longue inspiration, puis une autre.

Plutôt que de traîner au lit, de rêvasser, de lire, je me lève, je m'habille rapidement et je me retrouve dans la rue pleine d'activité. Le soleil est reparu. Quel plaisir, finalement, d'être en voyage. Devant le petit poste de police, je croise le planton de service en uniforme gris qui monte nonchalamment la garde. Tout me paraît vivant et coloré. Je marche d'un pas décidé jusqu'à la Praça dos Restauradores, j'achète *Le Monde*. Oui, vraiment, tout va bien, il y a justement une place libre à ma terrasse préférée, le garçon me reconnaît à mon arrivée et me salue comme un habitué.

Deux jolies Portugaises viennent s'asseoir à la table voisine. Elles ont vingt-deux, vingt-trois ans. Elles rient beaucoup. Je ne saurai jamais ce qu'elles disent, pourtant cela ressemble sans doute à ce que diraient deux jolies Québécoises, deux jolies Françaises, deux jolies Brésiliennes, deux jolies Finlandaises. Partout sur la planète on répète les mêmes choses, des propos futiles et sans conséquence, et puis après ?

Les nouvelles d'Iran sont toujours aussi mauvaises. Tant pis. Je trouverai une autre route, je traverserai l'Afrique, je franchirai l'océan Indien, j'aborderai l'Inde par Goa, je bronzerai tout nu sur la plage en fumant du haschisch. Je rêve d'un soleil qui écrase tout, qui entre dans la peau, qui réchauffe jusqu'au cœur, qui accable et dévaste.

❖

L'ambassade du Canada est située à l'autre bout de l'avenue de la Liberté. C'est un immeuble banal, que rien ne désigne à l'attention. Une première porte franchie, on se retrouve dans un petit hall, une sorte de no man's land. Les services sont divisés en deux sections, une à droite, l'autre à gauche, protégées par des grilles commandées électriquement. La réceptionniste est elle-même logée derrière une sorte de guichet pratiqué dans une vitre pare-balles. Décidément, nous vivons des temps troublés.

Je m'assois dans l'antichambre de la section de droite, réservée aux touristes ordinaires. Quelques journaux traînent sur une table basse. Je mets la main sur un exemplaire du *Devoir* datant de la semaine dernière.

Curieux comme tout cela est à la fois si proche et si lointain. On dirait qu'il ne s'est rien passé depuis mon départ, que rien n'a changé. Ce sont les mêmes histoires sans fin qui se poursuivent et le fait d'avoir raté quelques épisodes n'empêche nullement de s'y retrouver. Je feuillette rapidement les informations, ne regardant que les titres. Les détails n'ont pas beaucoup d'importance. Seules les nouvelles du sport m'intéressent. Je suis plongé dans la lecture du compte rendu d'un match des Canadiens de Montréal lorsqu'un jeune attaché anglophone m'invite à passer dans son bureau. Je fais un effort pour me présenter sous mon meilleur jour, souriant, sympathique, boursier de notre gouvernement, écrivain, fleuron de notre culture, presque un ambassadeur moi-même. J'ai plein de questions à poser. Je suis en route vers l'Inde et j'ai besoin d'informations privilégiées sur les moyens de transport, maritimes surtout, vers la Tunisie, ou vers l'Égypte.

Dans un français correct mais laborieux, il me fait comprendre que je ne suis pas dans un bureau de tourisme mais dans une ambassade. Je suis boursier de ce gouvernement ? Tant mieux. Je n'ai pas perdu mon passeport, j'ai encore de l'argent ? Tout va bien. Pour les vaccins, il me suggère le British Hospital. Pour le reste, il faut s'adresser ailleurs. Voilà. Allez, ouste, dehors. J'avais oublié que je ne suis qu'un écrivain sans importance et que de toute façon les écrivains ne comptent pas beaucoup dans ce beau pays qui est le mien. Encore heureux qu'il ne me reproche pas de dilapider l'argent des contribuables en voyages de plaisir.

En sortant, je croise un homme d'affaires avec un attaché-case et une cravate. On le dirige vers la section de gauche. Accueil empressé. Poignées de mains. Sourires.

❖

Monsieur Frantz n'a pas eu beaucoup plus de chance de son côté. À l'ambassade d'Allemagne, on vous reçoit avec une mitraillette et on fouille systématiquement les visiteurs. Avant de le laisser entrer, on lui a même enlevé un petit canif qu'il traîne toujours dans ses poches, un outil qui pourrait tout au plus servir à s'ouvrir les veines. Voilà ce que c'est, les pèlerinages. Au fond, rien n'a jamais changé. Il y a les riches et les pauvres, et il y a ceux qui menacent le fragile équilibre entre les deux. C'est de ceux-là qu'on se méfie, ceux qui veulent changer quelque chose à l'ordre du monde. Quant aux autres, qui sont partis sur les routes pour se changer eux-mêmes, grand bien leur fasse. Ce sont des débrouillards, qu'ils se débrouillent.

❖

Le British Hospital est un tout petit hôpital, plutôt une clinique. Il a d'abord fallu que je montre patte blanche, remplisse quelques formulaires et me rende jusqu'à une pharmacie voisine acheter des gammaglobulines. Tout cela prend du temps, tant mieux, j'ai l'impression d'être un homme occupé, un homme dont les journées sont bien remplies.

Je retrouve avec plaisir l'esprit britannique, si particulier, ce mélange d'arrogance et d'amabilité, de morgue et de bienveillance, de dédain et de mansuétude, ce sentiment de supériorité si parfaitement assimilé qu'il permet de considérer le reste de l'humanité avec indulgence. De vrais gentlemen, dotés d'un fair-play qui n'empêche pas de savoir qui tient le gros bout du bâton.

Je me sens tout de suite en confiance, bien mieux qu'avec mes compatriotes canadiens de l'ambassade. L'infirmière qui s'occupe de moi a les cheveux gris et une main de fer, un ton et un comportement professionnels qui seuls m'empêchent de me jeter dans ses bras comme dans ceux d'une maman. Je lui montre plutôt mes fesses. La peau délicatement nettoyée, coup sec de l'aiguille qui s'enfonce. Quelques conseils encore, je paie, je rentre chez moi.

La pluie me surprend en chemin, un déluge soudain, et je n'ai pas apporté mon parapluie. Je me réfugie sous un porche, j'attends que l'orage diminue et je reprends ma marche. Une douleur diffuse commence à se faire sentir et je traîne la patte jusqu'à la pension. Le virus teste mes ressources défensives. C'est l'Inde déjà, injectée dans

mon corps. Maintenant, je suis libre de me mettre en
route.

◈

Demain, monsieur Frantz prend le train pour Beja. C'est
notre dernière soirée ensemble et nous avons décidé de
manger dans un bon restaurant, près du Rossio, meilleur
en tout cas que les gargotes que nous fréquentons habi-
tuellement. J'ai mis mon veston des grands jours et mes
souliers qui me font mal aux pieds. Monsieur Frantz
porte une cravate. Nous avons l'impression d'être des
seigneurs. Nous commandons même des entrées pour
accompagner notre repas et nous faisons la conversation
comme des gens du monde.

Encore une fois, nous évitons les sujets trop person-
nels. Nous discutons de littérature. Monsieur Frantz
prétend que tout livre est un divertissement, qu'il s'agisse
d'un best-seller ou d'une œuvre d'avant-garde. Qu'on
raconte une histoire ou qu'on fasse des effets de style.
J'essaie de le convaincre que la littérature peut être plus
que cela. Il n'y croit pas. La littérature ne changera pas
le monde, jamais. Monsieur Frantz prétend qu'il n'y a pas
d'art révolutionnaire. Que l'art est toujours récupéré par
la bourgeoisie. En fait, non, c'est pire, l'art n'est pas
récupéré par la bourgeoisie, l'art tend de lui-même à la
bourgeoisie. L'art est civilisé, courtois et satisfait, même
lorsqu'il se prétend révolté, anarchiste, antisocial. L'art,

par définition, est policé et mis en scène. La littérature n'est pas la vie, le mot n'est pas la chose. Monsieur Frantz ne craint pas, lui, la banalité de l'existence.

C'est vrai, la littérature ne sera jamais la vie. Alors que pouvons-nous faire ? Lui, arrêter de peindre, moi, arrêter d'écrire ? Et nous retirer, lui dans un monastère, moi dans un ashram, et prier le Grand Quoi-Que-Ce-Soit de venir cueillir au plus tôt notre dernier souffle ?

En attendant, nous buvons du vin rouge. Nous en sommes à notre deuxième bouteille. C'est la première fois que nous buvons autant, ensemble. Mais je ne réussis pas à faire sortir monsieur Frantz de sa réserve. S'il parle de lui, c'est toujours à travers un propos d'ordre général. Je reste dans l'indécision face à ce personnage. Je ne saurai jamais qui il est exactement. Je formule pour moi-même une dernière hypothèse à son sujet : monsieur Frantz est un espion allemand et, même sous la torture, il ne l'avouera jamais.

❖

Quand nous sortons de table, il commence à se faire tard. Les rues sont désertes. Nous revenons à la pension par l'avenue de la Liberté lorsqu'un drôle d'individu nous aborde. Il prétend être étudiant à l'université. À vrai dire, il ne paie pas de mine, avec sa barbe mal rasée et son manteau trop grand. Il parle un peu anglais et dit qu'il s'appelle Henrique. Nous ne comprenons pas trop ce qu'il veut mais il a l'air honnête, juste un peu paumé. Peut-être souffre-t-il lui aussi de trop de solitude. Je lui demande où se tiennent les jeunes, s'il y a des cafés, des bars à la mode. Il offre de nous servir de guide dans le *Lisbonne-by-night*. Je me sens d'humeur à le suivre. Il fait doux ce soir et je n'ai pas envie de rentrer.

En chemin, Henrique nous propose de fumer un peu de haschisch. Nous nous retirons dans une petite rue à l'écart; il sort de sa poche un morceau de papier d'aluminium avec lequel il fabrique rapidement une pipe. Tour à tour, lui et moi aspirons quelques bouffées. Monsieur Frantz ne semble pas très intéressé et se tient en retrait. Puis un tramway passe et nous sautons à bord en marche, comme on fait souvent ici. Une fois à l'intérieur, je me rends compte que monsieur Frantz n'est plus avec nous.

Le tramway nous entraîne vers un quartier que je ne connais pas. Puis nous marchons dans des rues sombres, et tout à coup nous débouchons sur une place plus éclairée, illuminée par les enseignes de restaurants, de bars et de cafés. Nous entrons dans un établissement rempli d'étudiants joyeux qui boivent du vin rouge et parlent fort. Nous finissons par nous asseoir dans un coin un peu à l'écart. Bien sûr, c'est moi qui paie les consommations. Je commence à soupçonner qu'Henrique a l'habitude de ramasser des touristes égarés comme moi pour avoir un peu de compagnie et parce qu'il est trop pauvre pour fréquenter ce genre de café.

Je suis content malgré tout d'avoir découvert cet établissement et d'observer la vraie vie de la jeunesse portugaise, même si je dois me contenter de regarder les jolies filles qui circulent autour de nous sans pouvoir leur adresser la parole. Nous buvons deux ou trois bières, poursuivant notre conversation difficile, puis je demande à Henrique s'il connaît des endroits où l'on peut danser. Nous repartons tous les deux dans la nuit.

Nous nous retrouvons finalement devant une discothèque dont la musique déborde jusque sur le trottoir. Sans que je comprenne trop bien pourquoi, Henrique prend congé de moi. Je glisse un pourboire au portier et j'entre dans une vaste salle où des dizaines de jeunes dansent entassés les uns contre les autres. Je reste d'abord debout, regardant sans oser m'aventurer sur la piste. Puis je me glisse entre les danseurs, et je me laisse aller, je me démène jusqu'à ce que je sois en sueur. Je souris à des filles qui me sourient aussi, puis qui s'éloignent dans la foule compacte. Au bout d'une demi-heure je m'arrête, enfin satisfait et défoulé. Je bois sec, des gin tonics beaucoup trop chers pour mes moyens. Je suis vraiment saoul, je plane sur les notes, je ne pense plus à rien, je suis amoureux de tout le monde.

❖

Je sors à la fermeture, avec les derniers fêtards. J'espère un peu me faire inviter quelque part, à cette heure où tout peut arriver. Mais en quelques minutes tout le monde se disperse et je demeure seul sur une petite place déserte, sans la moindre idée de la direction que je dois prendre pour rentrer à la pension. Fatigué, vidé, crevé, je ne trouve rien de mieux à faire que de m'étendre sur le trottoir, enveloppé dans mon imperméable, et je m'endors.

Le grondement sourd d'un camion me réveille. Reposé mais encore ivre, je tangue un peu sur le trottoir. Au bout de quelques rues, j'aperçois un tramway encore en circulation et je monte à bord en me disant que je finirai bien par me retrouver. Il s'arrête place Marquês de Pombal. Je n'ai plus qu'à marcher le long de l'avenue de la Liberté jusqu'à la Praça Alegria.

Le ciel commence déjà à pâlir et les oiseaux à chanter. Je m'étends sur un banc du parc, face à la pension, et je dors encore un peu, pour éviter d'avoir à réveiller la vieille Portugaise qui garde l'hôtel. Puis, vers sept heures, quand les rues commencent à s'animer, je monte à la pension en dissimulant tant bien que mal mon haleine d'alcool et ma mine fripée. Je retrouve ma chambre avec le bonheur de qui revient chez soi et je m'endors tout habillé sur le lit. Je dors comme une bûche jusqu'à midi. J'ai manqué le départ de monsieur Frantz.

4

Tu t'en vas
Le monde n'est qu'indifférence
J'ai peur de l'hiver et du froid
J'ai peur du vide de l'absence...

ALAIN BARRIÈRE chante dans ma tête tandis que le traversier s'éloigne de Lisbonne — une histoire d'amour quétaine qui au fond est pareille à la mienne. Encore une fois je pars, emportant sur mon dos tout ce que je possède. Je remets l'univers en marche. Le Tage traversé, je monte dans le train pour Évora et je laisse Lisbonne s'égarer dans un autre temps. Je suis content d'être à nouveau en route. Nous traversons de beaux vergers d'orangers où les oranges brillent sur les branches comme des boules d'arbre de Noël. Plus tard, le paysage se simplifie, ce ne sont plus que des collines dénudées, dessinées en aplat sur le ciel, avec juste un arbre ici et là. Je lis la correspondance entre Henry Miller et Lawrence Durrell. De temps à autre, je lève les yeux de mon livre, j'ai l'impression que c'est toujours le même panorama.

Le soir tombe lorsque je débarque à Évora. Je trouve facilement une chambre tout près de la gare, il n'y a pas beaucoup de voyageurs sur les routes. Je dépose mon sac et me mets à la recherche d'un restaurant. Il fait un froid de canard. Je débouche sur une place pleine de gens qui se promènent par petits groupes. Les hommes portent tous le même grand manteau brun, une sorte de cape avec un col de fourrure, et un chapeau noir à large bord. Les portes des cafés, des boutiques, sont grandes ouvertes pour chasser l'humidité crue qui règne à l'intérieur. Il n'y a de chauffage nulle part, excepté parfois des sortes de braseros, des seaux bosselés remplis de charbons brûlants. Devant les restaurants, les garçons se frottent les mains pour se réchauffer. J'entre manger une soupe. La vie est encore moins chère ici qu'à Lisbonne.

La nuit est tombée. Il se met à neiger, une petite neige légère qui descend lentement. Je reviens à l'hôtel. Dans le bureau de la réception, le thermomètre indique 10 °C. Il ne fait pas beaucoup plus chaud dans la chambre. Un grand miroir me renvoie mon image, devant un mur vert pâle taché de mouchetures brunes, pendant que je prends quelques notes assis dans un fauteuil miteux. J'ai l'air d'un étrange voyageur, un anthropologue faisant des études de terrain. Pour dormir, je me glisse tout habillé à l'intérieur de mon sac de couchage, avec mon blouson bleu sur le dos et mon foulard autour du cou. Puis, du bout des bras, j'étends deux couvertures par-dessus le lit pour compléter mon bivouac. J'essaie de lire un peu avant de m'endormir, mais c'est trop froid pour les mains et l'électricité manque toutes les trois minutes avant de faire défaut définitivement.

❖

Le lendemain, il pleut à boire debout et il fait toujours froid. Je n'ai pas le courage de me lever mais je ne réussis pas à me rendormir. Je change d'idée toutes les dix minutes. Lorsque je me décide à bouger, il est déjà trop tard, j'ai raté le train pour Beja. Condamné à passer une autre journée à grelotter dans les rues d'Évora, je ne comprends pas moi-même pourquoi je m'attarde ainsi plutôt que de me précipiter vers le but de mon voyage, mais en même temps je ne cesse de me répéter que le but n'est qu'un prétexte et que le voyage, j'y suis déjà. Et que chaque fois que j'arrive quelque part, je suis rendu là où je dois être, car finalement tout s'annule, il n'y a plus ni arrivée ni départ, seulement une longue suite de moments présents successifs.

Mais en même temps je sais bien que cela n'est pas vrai. En fait, je cours toujours d'un endroit à l'autre, dans ma tête je suis toujours tendu vers l'idée de repartir. Oui, c'est vraiment un pèlerinage que je fais : je n'arrête pas de marcher, de souffrir et d'espérer. Je porte mon sac sur l'épaule comme une croix. Je continue à mettre des obstacles sur mon chemin pour que ma vie ressemble de plus en plus à un martyre. J'aurais dû mettre des cailloux dans mes souliers.

◈

Le jour suivant, j'arrive à Beja à la fin de l'après-midi. Ici aussi il fait froid. Pas seulement froid, il fait noir, il pleut et il vente. Un temps de chien. Je ne sais pas où aller. Tous les autres passagers descendus du train en même temps que moi sont partis, disparus en quelques minutes. Devant la gare, une grande place vide, deux ou trois rues assombries par la pluie qui partent vers on ne sait où dans des directions divergentes. Ni hôtel ni restaurant. Pas de taxi.

Je retourne à l'intérieur, sac sur l'épaule, découragé par toute cette pluie qui n'arrête pas de tomber. De grandes céramiques bleues et blanches décorent les murs. Sur l'une d'elles, la Religieuse portugaise me regarde d'un air éploré.

Sorti de nulle part, un vieux taxi arrive en se traînant sur la place et nous faisons le tour de petites *pensão* glaciales et sinistres. La ville est plutôt laide, avec ses rues rectilignes, ses maisons basses. Elle semble inhabitée. Je finis par prendre une chambre à la pension Rocha. J'y dépose mon bagage. Tout est sombre et froid. À la télé, que j'allume pour me tenir compagnie, l'image mauve et bleu d'une chanteuse qui ressemble à Angèle. Je ne sais pas quoi faire. Je décide d'aller manger quelque chose. Le quartier est désert mais je finis par trouver une *pastelaria* minable, cachée dans une petite rue. Je commande un café et une pâtisserie, je reste debout, il fait trop froid pour s'asseoir. Plusieurs générations de coquerelles se promènent sans hâte sur le comptoir sous les yeux du patron indifférent qui ne fait rien pour les chasser. La pâtisserie me sert de souper, j'en commande une seconde comme dessert, puis quelques petits verres d'*aguardente*, tout cela pour une somme dérisoire. Je n'ai pas trouvé de journaux français à la gare et j'essaie de déchiffrer les gros titres d'un quotidien portugais. Toujours l'Iran, toujours les menaces de guerre. Il va vraiment falloir que je trouve un chemin pour contourner cet obstacle, mais comment savoir avant d'être rendu sur place ? Passer par l'Égypte peut-être… Tout dépendra des bateaux que je trouverai à Sagres. Sagres, c'est l'extrême limite de l'Europe. Après, il n'y a plus que l'Atlantique. J'en ai conclu qu'il devait y avoir des bateaux et que je pourrais traverser vers l'Afrique du Nord. Personne n'ayant pu confirmer ou infirmer cette hypothèse, je m'y accroche car c'est celle qui me convient le mieux.

Je réfléchis devant mon quatrième *aguardente*. Quelques vieux, de couleur olivâtre, m'examinent avec méfiance. Je suis un peu saoul et je leur fais un grand sourire. Ils détournent la tête. L'un d'eux, debout au bout du comptoir, passe à côté de moi, ralentit, me regarde fixement dans les yeux, l'air mauvais, sans rien dire, puis va

s'asseoir avec les autres et se met à marmonner des choses
que je devine déplaisantes à mon sujet. Il me revient à
l'esprit une réflexion de monsieur Frantz : lui, s'il écri-
vait, disait-il, il essaierait de raconter l'existence de ces
gens, ce qui se passe dans leur vie, des choses banales,
insignifiantes, qui cachent des idées de meurtre, de viol
et de vengeance.

Je retourne à ma chambre. Je prends quelques notes,
assis sur le lit, en gardant mon blouson et mon foulard,
la porte-fenêtre grande ouverte pour essayer de chasser un
peu de cette humidité qui transforme la pièce en glacière.
Je ne traînerai certainement pas ici. La ville, je l'ai assez
vue, et le couvent de la Religieuse portugaise, ce n'est pas
mon pèlerinage.

J'essaie de dormir. Il est presque minuit et il pleut
toujours. Qu'est-ce que je fais ici ? Ça n'a pas de sens. Je
déteste le froid. J'étais parti pour l'Inde, pour le soleil,
pour la gloire. Je ne comprends pas pourquoi je ne réagis
pas, pourquoi je me laisse faire comme ça. Si je ne suis
pas bien ici, je n'ai qu'à partir. Et pourtant je ne fais
que ça, depuis deux mois, partir, repartir. Et je ne suis
jamais bien. De plus en plus mal, à vrai dire. Comme si
je m'enfonçais dans une sorte de spirale descendante, et
tout au fond je sais maintenant ce qu'il y a : l'angoisse.

◈

Plus tard, pendant la nuit, je rêve que je tue le vieux du café.

◈

J'ai pris le premier autobus qui partait vers le sud. Il va à Ferrera. D'après ma carte et les vagues informations que j'ai obtenues, je devrais, moyennant un certain nombre de correspondances, pouvoir me rendre de Ferrera à Sagres dans la journée. Le chauffeur est un fou furieux. Accroché à son klaxon, il s'acharne sur tout ce qui ne va pas assez vite à son goût. Il fonce dans des virages aveugles pour dépasser des camions, des mobylettes, des tracteurs vieillots. De temps à autre, il se racle longuement la gorge avec un bruit gras et crache par la fenêtre ouverte des sécrétions épaisses. Son assistant, une sorte de débile sans âge, au front bas, aux sourcils broussailleux, s'installe juste devant moi. Il se tient debout sur la première marche de l'escalier d'accès, m'obstruant la vue, et se met à se décrotter le nez. Dégoûté, je vais m'asseoir à l'arrière, abandonnant mon destin entre les mains de ces deux horribles créatures.

Nous roulons longtemps à travers une région montagneuse. La brume matinale traîne encore au fond des vallées. Le chauffeur fait des détours par de petites routes pour déposer ses passagers à l'entrée de fermes isolées. On aperçoit ici et là des charrettes tirées par des ânes, des hommes qui marchent le long de la route avec trois ou quatre moutons, des petites vieilles toutes vêtues de noir, pliées en deux sous des fagots aussi gros qu'elles. Le ciel est lourd et noir. J'ai l'impression d'être en Syldavie. Je m'impatiente. J'ai hâte de retrouver la civilisation.

❖

À Ferrera, c'est enfin l'Algarve. Je descends, j'enlève mon imperméable, mon blouson bleu et je ne garde qu'un chandail. Les amandiers en fleurs sentent bon. Des chiens dorment, couchés dans des flaques de lumière. Je mange un sandwich au buffet du terminus et je monte dans un autre car qui part pour Portimão. À Portimão, il faut encore changer d'autobus. Il commence à faire chaud et on voit même des touristes au visage rougi par le soleil. J'achète un billet pour Lagos, puis à Lagos je prends un dernier autocar jusqu'à Sagres. Dans le village où je débarque en fin d'après-midi, il y a des jeunes qui traînent ici et là aux terrasses des cafés, des gars et des filles visiblement en vacances, en voyage, sur la route. Pour trouver une chambre pas trop chère, je m'informe auprès d'un petit groupe composé d'Australiens et d'Allemands. Il n'y a pas d'hôtel ni de pension ici. On me conseille de dormir à l'auberge de jeunesse, à côté de la forteresse, sur le cap, une marche d'une quinzaine de minutes. Quant aux traversiers pour le Maroc, l'Algérie, la Tunisie, je peux oublier ça. Pas un ne part de Sagres. En fait, pas un ne part du Portugal. Je devrai revenir sur mes pas et suivre la côte jusqu'à Algésiras, en Espagne, si je veux passer en Afrique du Nord.

Voilà. Je suis arrivé, mais je ne suis pas arrivé à la bonne place.

❖

J'ai mal dormi. Nous étions huit dans un dortoir mal aéré. Quelques lève-tôt ont commencé à faire leurs bagages dès six heures. À sept heures, il n'était plus question de fermer l'œil. J'ai mal à la tête. Je me sens sale. Je n'ai pas envie de reprendre la route tout de suite. J'ai envie de faire comme les autres, de me sentir en vacances. J'ai envie de prendre un bain et de mettre des vêtements propres. Je décide de louer une chambre au village. On m'a dit hier qu'on peut trouver à se loger « chez l'habitant », on m'a suggéré quelques adresses. Je traverse deux ou trois fois le village. Les nouvelles maisons qu'on construit un peu partout pour profiter du boom touristique me paraissent particulièrement laides. À chaque fois, on me montre fièrement des toilettes propres et des pièces modernes, sans âme et sans chaleur, où il traîne des odeurs de ciment frais et d'humidité. Je finis malgré tout par me laisser tenter par une salle de bain en carreaux de céramique avec un bain neuf étincelant de propreté. Mais la chambre est sombre, éclairée par une seule petite fenêtre qui donne sur une cour en désordre où traînent du sable, des pelles, des outils abandonnés. J'ai le choix entre cette pénombre ou l'éclairage cru d'une ampoule électrique nue au plafond.

Il est déjà midi passé, tout cela a pris du temps, l'auberge de jeunesse est fermée jusqu'à cinq heures, j'y ai laissé mon bagage en consigne. Je m'étends sur le lit. Je ne sais pas quoi faire. Je fume. Sur la table de chevet il y a un petit feuillet distribué par la police à l'intention des touristes. La version française du texte dit : « Difficultez la vie aux voleurs. Le téléphone national d'émergence est 115. Usez-le s'il le faut. » J'ai envie d'appeler au secours, mais il n'y a même pas de téléphone.

❖

Je passe sans trop y croire à la poste restante. Sagres, c'est un des points de chute que j'avais indiqués à Angèle dans ma dernière lettre de Londres. Lisbonne, Sagres, Alexandrie, c'était mon itinéraire présumé. Miracle ! Il y a une lettre pour moi. Elle m'attend depuis deux semaines.

Sur l'enveloppe, je reconnais la grande écriture déliée d'Angèle, cette écriture qui lui ressemble, claire, joyeuse, pleine d'assurance et d'harmonie. J'attends d'être revenu à ma chambre pour l'ouvrir. Je traverse le village en palpant la lettre dans ma poche. J'essaie d'imaginer son contenu. Je sens battre mon cœur, je suis tout excité à l'idée de savoir que je tiens dans ma main sa voix, ses mots. Que je vais l'entendre, qu'elle va me parler, être là avec moi. Je l'ai attendue si longtemps.

Ma chambre me paraît trop déprimante pour ce moment de bonheur et je sors m'installer sous un amandier. J'ouvre l'enveloppe. Il n'y a qu'un feuillet, écrit d'un seul côté.

Bonjour, mon loup solitaire !

Imagine-toi que je vais jouer, dans une sorte d'opéra populaire, le rôle d'une vedette de troupe burlesque. J'écris maintenant tous les jours. Et toi ? Je travaille beaucoup, je suis patiente et je prépare mon âme. Je veux vivre jusqu'au bout.

J'aime l'hiver parce que la neige flotte comme un désir suspendu. Le temps se couvre et la planète s'effrite, mais l'amour ne s'échappe pas des mains de ceux qui ont le talent d'être humains.

Toujours,

Ton Angèle

C'est trop court. Ça ne me fait aucun bien. Je me sens plus abandonné, plus minable que jamais. Je reconnais le style si particulier d'Angèle, mais je trouve dans sa lettre je ne sais quelle froideur, malgré son apparent enthousiasme. Je la relis deux fois, trois fois, pour essayer d'y déchiffrer quelque message secret, pour découvrir des indices qui me permettraient de croire encore à son amour. Mais je ne vois rien d'autre qu'un petit mot jeté

sur le papier en vitesse, pour me faire plaisir, pour se
déculpabiliser, comme un devoir d'amitié entre deux
activités plus intéressantes. Des mots écrits pour ne pas
dire ce qui se passe vraiment, ni autour d'elle ni en elle.
J'y lis que la vie continue, qu'elle m'oublie, qu'elle m'a
oublié, qu'elle est rendue ailleurs, avec un autre sans
doute. Qu'elle ne pense pas à moi, moi qui pense toujours à elle. Plutôt que le bonheur escompté, j'en retire
une nouvelle raison d'être malheureux.

❖

Elle m'a oublié, la vie l'a reprise, elle était trop vivante.
Elle a vingt ans, elle fait du théâtre, elle sort avec ses
amis, elle discute de mise en scène, de politique, elle parle
d'indépendance, de liberté, elle vit sa vie, et moi qu'est-
ce que je fais tout seul et triste en route pour le bout du
monde, pauvre égoïste ne pensant qu'au salut de son
âme, poursuivant sa chimère sur des chemins de vent,
dans cette voie de plus en plus étroite, de plus en plus
ardue, qui ne me mènera jamais, j'en suis convaincu, à
aucun nirvana.

❖

Vers trois heures, je me fais couler un bain chaud. J'attendais ce moment depuis longtemps et pourtant je ne
réussis pas à être bien. Je ne comprends pas ce que je fais,
au milieu de l'après-midi, dans un bain, à Sagres, au

Portugal, tout seul dans une chambre laide. J'ai besoin de tout mon courage pour me laver les cheveux, me sécher, remettre mes vêtements pas très propres. Je ne suis pas capable de rester enfermé ici plus longtemps. Je vais au café. Je relis encore la lettre d'Angèle. J'essaie d'y voir des signes positifs. « L'amour ne s'échappe pas des mains de ceux qui ont le talent d'être humains. » Que veut-elle dire ? De toute façon, moi, je n'ai pas ce talent…

❖

Toi, tu as tourné la page, tu ne regardes pas en arrière, et je suis seul à ressasser mes pauvres souvenirs. La chanson de Bob Dylan me revient à la mémoire. *She's got everything she needs, she's an artist, she don't look back.* Quand ça jouait à la radio, quand on la chantonnait, on disait que c'était toi. C'était toi.

❖

Moi, ma vie est ennuyante, il ne s'y passe rien, rien de tragique, c'est ça la tragédie. Rien qu'un amour perdu, à jamais, pour toujours. Rien qu'une douleur qui ira s'amenuisant, alors que j'aurais dû mourir. Une douleur sans fin, une mémoire marquée à jamais, une imagination tournée vers l'oubli. Quel gâchis ! Ne vivre qu'une vie et que ce soit celle-ci.

❖

Le lendemain, je reviens sur mes pas le long de la côte d'Algarve. L'autocar me débarque à Lagos. J'aurais pu continuer plus loin mais il faut que je m'occupe de mon lavage, je n'ai plus de vêtements propres. Je trouve pour pas cher une chambre dont la fenêtre donne sur le port, j'y dépose mon bagage, je me promène un peu dans les rues pour chercher un lavoir public, puis les pièces de monnaie nécessaires. Je retourne à la chambre. Je vide mon sac bleu et j'y entasse mes vêtements sales. Chaque seconde de ma vie me paraît ennuyante. À chaque seconde je suis conscient d'être en train de faire quelque chose d'inintéressant, de ridicule, d'insignifiant. Je transporte tout ça au lavoir, je m'installe avec un livre face à une machine et je reste là à la regarder tourner.

❖

Je me promène près du port. Il y a plein de petits bateaux, qui portent chacun un nom : *Sempre com Deus, Esperança do pescador, Boa Nova, Unidos Vinceremos, Maria Rosado, Solitario*. Je m'attarde un peu au marché aux poissons, à l'heure où les pêcheurs reviennent avec leurs prises de la journée. Ils les déchargent sur le quai, les préparent et les vendent sur place. Des calmars dans leur encre noire, des petits crabes vivants, qui se marchent les uns sur les autres, des poissons rosés, argentés, d'autres plus petits, plats, couleur de nacre, encerclés d'un trait sombre, des anguilles, minces et longues, avec de sales gueules, que les pêcheurs attrapent par la queue et assomment en les frappant sur le pont du bateau ; sonnées, elles ouvrent et referment lentement leurs longues bouches pointues. Je voudrais bien faire un travail aussi évident, aussi utile que celui-là.

◈

Consterné par la banalité de ce qui m'arrive, je ne parviens pas à m'endormir. Je m'assoupis quelques minutes puis je me réveille, les yeux grands ouverts dans le noir de la chambre. Il doit être deux heures du matin et je ne suis pas bien. On dirait une crise d'asthme. Je dois être allergique à quelque chose, à toute cette vie saine peut-être. Je me sens de plus en plus étouffé, oppressé. Il fait noir, j'ai peur de mourir. Je respire avec peine. Je n'ai personne à qui parler, personne à qui demander de l'aide. J'allume la lampe, je ne reconnais rien de familier. Dehors, tout le village dort. Je ne peux rien faire d'autre que rester là, avec ma peur de mourir, ma douleur, cherchant péniblement mon souffle, comme si mon organisme, sans moi, sans ma vigilance, allait arrêter de respirer. Je ne suis pas prêt à mourir, je ne le serai jamais. Je voudrais être un pêcheur pour qui les questions que je me pose ne se posent pas. Avoir une vie réelle, des problèmes réels : trouver à manger, nourrir mes enfants, combattre mes ennemis. Ici, la vie des gens a un goût de réalité que la mienne n'a pas. Les poules sont réelles. Les amandiers sont réels. Les poissons sont réels. Et moi, en train de mourir au Portugal, je meurs dans un rêve sans réalité, j'ai raté ma vie, je n'ai pas vécu. J'ai raté ma vie depuis le début, avant même les premiers souvenirs que je pourrais en avoir. C'était déjà raté. Je n'aurais jamais dû naître.

❖

Je me réveille tard, heureux malgré tout d'avoir survécu, presque guéri. Il suffit que je fasse les choses lentement. Près du port, il y a une petite place, un curieux petit square asymétrique, entourée par des maisons sur tous les côtés. C'est comme une très grande pièce sans plafond. Elle contient trois arbres et deux terrasses de café. Je m'y arrête pour lire le journal, j'y suis bien, je me sens protégé. Après un café, je réussis à fumer une première cigarette et les choses se replacent. Puis je commande une bière, c'est le meilleur des médicaments. Il est déjà midi. Je me plonge dans les derniers développements de la situation en Iran et j'oublie un peu mes propres problèmes, lorsque j'entends une voix familière :

— Tiens, vous lisez encore le journal ?

Debout à côté de moi, monsieur Frantz, souriant, me tend la main. Je me lève et le salue chaleureusement. Je ne peux m'empêcher de sourire. Il porte un chapeau de paille et une chemise sport à motifs colorés.

— Vous avez changé, dis-je.

❖

Comme moi, monsieur Frantz a détesté Beja ; il n'y est resté que quelques heures. Mais il a perdu moins de temps en détours de toutes sortes et, dès le lendemain, il était sur la côte. Dans le train qui l'amenait, il a rencontré un commerçant qui lui a offert de l'héberger en échange de quelques travaux.

— Je le revois demain à Faro, c'est ma dernière chance. Si ça ne marche pas, je retourne en Espagne ; ici, il n'y a pas assez de travail.

C'est agréable de parler français à nouveau, de pouvoir dire plus que trois mots de suite à des inconnus qu'on ne reverra jamais. Le soleil est revenu. Monsieur Frantz commande une bière, j'en prends une deuxième, puis retrouvant spontanément nos habitudes de Lisbonne nous visitons les environs ensemble.

Le village est joli, avec ses rues étroites, ses maisons typiques aux façades recouvertes d'*azulejos*, ses balcons en fer et ses balustrades de faïence, les palmiers en rangée le long de l'avenue principale. On sent que tout a été nettoyé, retouché, refait pour plaire aux touristes, pour correspondre en tous points à ce qu'on imagine du

Portugal. Mais il n'y a pas de touristes en janvier et cette coquille vide paraît bien triste. Des boutiques de souvenirs fermées, des cafés portant des noms américains où les chaises demeurent empilées sur les tables derrière des vitrines salies, des agences de location de villas, de yachts, d'accessoires de plongée, inutiles, sans clients.

Dès qu'on s'éloigne de la vieille ville, tout devient franchement laid. Et puis il y a le bruit énervant des motocyclettes, celui de la grue qui drague dans le port, la plage remuée par les bulldozers. Monsieur Frantz ne se laisse pas démoraliser. Il suppute les possibilités de trouver du travail dans un village de ce genre lorsque la saison reprendra. Marcher en sa compagnie me fait du bien. Nous nous arrêtons dans un des cafés ouverts et je ne résiste pas à l'envie de boire encore.

Légèrement ivre, je me laisse un peu aller. Je parle à monsieur Frantz de la lettre que j'ai reçue, des sentiments que j'éprouve. Il me parle de souffrance inévitable, de détachement, de renoncement, tous ces trucs bouddhistes qui ne fonctionnent jamais. Je lui fais part de la théorie d'Angèle. Elle me rappelait souvent, quand je devenais trop rêveur, trop lointain, trop mystique à son goût, que tout commence par une incarnation. La vraie vie n'est pas ailleurs. Nous sommes venus sur la Terre et ce n'est pas pour rien. C'est notre destinée. Inutile de se retirer dans le désert, de méditer au sommet d'une montagne, de se lancer à la recherche d'un gourou. La vie n'est pas une question dont il faut chercher la réponse. La vie est la réponse. Alors au diable la quête, les tourments, les angoisses. Il faut vivre, il faut aimer la vie, demeurer ouvert, libre et joyeux.

Monsieur Frantz me regarde avec un sourire indulgent.

❖

Peu à peu le soir tombe, il commence à faire frais. Déjà les couleurs ont toutes fondu vers le brun, le beige, le noir. On commence à voir les étoiles apparaître dans le ciel encore pâle. Il glisse dans l'air une odeur de sardines grillées, d'huile d'olive et d'épices.

— Allons manger, mon train ne part que dans deux heures, suggère monsieur Frantz.

❖

Au restaurant, nous nous assoyons près des grandes fenêtres qui donnent sur le port. Le garçon nous apporte la carte, où les noms des plats sont traduits en anglais et les prix ajustés en conséquence. Nous faisons notre choix. Bientôt, le garçon dépose devant nous un potage brunâtre, pas très appétissant mais pourtant bon. Monsieur Frantz me parle du goût des choses simples.

— Au fond, vous aussi vous menez une vie difficile, dis-je.

Il laisse son regard glisser lentement sur la mer puis le ramène sur moi.

— Oui, si vous voulez. Vous savez, je ne tiens pas absolument à avoir une vie facile. Le confort, je connais. L'ennui aussi. À votre âge, j'étais un de ces cadres supérieurs bien fringués, qui collectionnent les déjeuners d'affaires et qui s'ennuient à mourir. Un jour, après un de ces repas, au lieu de retourner au boulot, je suis rentré chez moi. J'ai fermé tous les volets, tiré tous les rideaux, et je me suis assis par terre au milieu du salon. C'était comme dans un rêve, je faisais tout cela sans y penser, je ne faisais aucun effort pour résister, on aurait dit que ça se passait hors de moi tout en étant totalement moi, que ça m'arrivait. Que je m'arrivais, tu comprends ? Ce n'était pas moi qui arrivais dans le monde, le monde arrivait en même temps que moi. Moi, le monde, c'était une seule et même chose. Tout était neuf. Quand ma femme est rentrée, j'étais encore assis là, la tête sur les genoux, je réfléchissais. Je réfléchissais à ce qui venait de m'arriver. Bien sûr, c'était terminé, l'expérience avait pris fin, le moment de grâce était passé. J'ai sombré dans une sorte de léthargie, de dépression, tu sais, qui a duré six mois. Ma femme est partie, j'ai perdu mon emploi, il a fallu que je vende la maison. J'avais toujours voulu peindre. Je me suis installé dans un petit studio et c'est ce que j'ai fait.

Il a failli me tutoyer. Deux fois. Je sais qu'il s'en est aperçu aussi. Voilà où mènent les confidences. De toute façon, il serait normal que nous en arrivions là. Mais j'aime bien la distance que le vous maintient entre lui et moi. Elle me protège. Je n'ai jamais aimé la familiarité.

— Et pourquoi avez-vous arrêté ?

— D'abord, parce que le marché de l'art est terriblement difficile. Je n'avais plus d'argent… et puis le cœur n'y était plus. Je n'étais pas un assez bon peintre. Un camarade d'école m'avait dit un jour : « Moi, je serai un héros romantique. Le héros romantique est celui qui va au bout de lui-même. » Mais moi, je ne savais pas aller au bout de moi-même.

— Je comprends ce que vous voulez dire.

Aller au bout de soi-même… Peut-être… Sans doute… Et si le bout de soi-même était un cul-de-sac ?

— Tu sais, tout ce que j'ai trouvé jusqu'à présent, c'est que je ne suis pas, et que je ne serai jamais, un de ces merveilleux humains qui ont la chance de venir au monde avec le talent de vivre et qui savent exactement ce qu'ils ont à faire.

Moi aussi, cela me hante depuis longtemps. Comment se fait-il qu'il y ait des êtres tellement meilleurs que nous ? Comment pouvons-nous supporter cela ? D'être si petits, si minables, si limités ? Comment se résigner à n'être jamais le héros, à n'être même pas le héros de sa propre vie, à voir sa vie entraînée dans tous les sens par les guerres, les catastrophes, les accidents, les hasards, voir nos vies nous échapper, se vivre en dehors de nous, être décidées par quelque chose d'autre, ce dieu inconnu qui n'est peut-être que néant... Comment être apaisé avant d'avoir trouvé cette paix, avant d'avoir accédé soi-même et pour toujours à cette divinité, s'être fondu en elle, l'être devenu ?

— Et ce camarade, vous l'avez revu, vous savez ce qui lui est arrivé ?

— J'aurais préféré ne pas le savoir. Il s'est jeté du haut d'un pylône électrique et s'est empalé trente mètres plus bas sur une clôture.

❖

À la gare, la salle d'attente est presque déserte. Nous nous assoyons côte à côte sur un long banc de bois. Monsieur Frantz se met à me parler plus bas, sur un ton presque confidentiel. Il tire de sa poche un petit cahier. À sa façon de me le remettre, presque timidement, je comprends qu'il s'agit de quelque chose d'important pour lui. J'y lis des phrases de Socrate, de Démocrite, de Gurdjieff, de Swedenborg, de Maître Eckhart, patiemment recopiées à la main d'une belle écriture ronde. Certaines sont en allemand, la plupart en anglais ou en français. Monsieur Frantz, silencieux, me regarde feuilleter. Je ne sais pas trop quoi dire, alors je ne dis rien. Toutes ces idées, ces notions, ces réflexions, ces maximes, ces « perles de sagesse », je les ai lues mille fois. Mais une once de pratique vaut mieux qu'une tonne de théorie, je l'ai lu aussi.

Je m'arrête sur une page écrite en caractères étranges, qui me semblent ceux d'une langue hindoue.

— C'est du sanskrit, dit monsieur Frantz.

— Vous connaissez le sanskrit ?

— Je l'ai étudié quelques années. Dans une autre vie, précise-t-il en souriant. Au fond vous n'étiez pas si loin de la vérité lorsque vous avez cru que j'étais prêtre. J'ai passé quelques années dans un monastère.

—Vous étiez moine ?

— Pas tout à fait. Novice, plutôt. Mais cette vie ne me convenait pas. Plus tard, j'ai étudié certaines choses, disons… peu connues. Je faisais partie d'un groupe qui se réunissait régulièrement, mais comme je n'ai jamais beaucoup aimé les groupes, encore une fois je ne suis pas allé jusqu'au bout. Pourtant j'ai compris certaines choses. Par exemple, qu'il existe d'autres plans de la réalité, d'autres façons de la concevoir, auxquels on peut parfois avoir accès. Il existe une autre forme de l'humanité, de l'humain. Il y a des gens qui ont dépassé notre condition. Vous le pensez sans doute aussi, sinon vous ne seriez pas en route pour l'Inde. Vous savez, il existe des familles d'âmes, des familles d'esprits, et j'ai l'impression que nous appartenons tous deux à la même. J'ai l'impression de reconnaître un frère en vous. Je n'ai pas osé vous en parler à Lisbonne, mais quand nous nous sommes retrouvés, j'ai senti qu'il fallait que je vous le dise, cette fois-ci, puisque vous allez repartir.

Je suis un peu étonné de cette soudaine déclaration. Je le suis encore plus quand monsieur Frantz me propose :

— Pourquoi ne venez-vous pas me rejoindre à Faro ? Je verrai comment les choses se dessinent et, s'il n'y a rien pour moi, je partirai avec vous pour l'Espagne.

Instinctivement, j'ai un mouvement de recul. Jusqu'ici, je n'ai jamais considéré que nous voyagions ensemble. Simplement, que nos itinéraires coïncidaient, qu'une certaine sympathie nous rapprochait. Mais je ne l'ai pas choisi comme compagnon de route. Je ne suis pas parti en voyage avec lui. Je ne suis pas son frère.

Pourtant, je n'ose pas dire non, je me défile en douce.

— Je ne sais pas. J'ai déjà trop traîné. Il faut que je reprenne le temps perdu.

❖

Moi, je n'ai pas besoin d'un ami ; des amis, j'en ai, j'en avais en tout cas quand j'ai quitté Montréal. S'ils avaient pu m'apporter ce que je cherchais, je serais resté avec eux. Maintenant, je veux voyager seul. C'est dans la solitude que je pourrai apprendre quelque chose. Je n'ai pas besoin d'un frère qui a quinze ans de plus que moi et qui ressemble à ce que je ne voudrais pas devenir : un homme perdu, un homme qui n'a pas trouvé la réponse qu'il cherchait.

❖

Un haut-parleur annonce l'arrivée du train pour Faro.
Nous entendons le coup de sifflet de la locomotive. Le
chef de gare sort de son bureau. Sur le quai, l'animation
demeure réduite ; quelques voyageurs descendent des
quatre wagons, d'autres, peu nombreux, y montent.
Nous échangeons une poignée de mains et nous nous
souhaitons mutuellement bonne chance. Le train repart
presque aussitôt, emportant monsieur Frantz vers un
destin que je ne connaîtrai jamais.

❖

Au retour, j'emprunte en sens inverse le chemin par
lequel nous sommes venus. Un parfum doux flotte sur
le village. Je marche dans la nuit embaumée sous les
étoiles vacillantes. La lune presque pleine éclaire en bleu
un petit pont de pierre et j'entends tout à coup dans
l'obscurité les sonnailles d'un troupeau. Une vingtaine
de moutons arrivent sur le pont au moment où je m'y
engage à l'autre bout et je me retrouve au milieu d'eux,
qui passent de chaque côté de moi, me frôlant de leurs
corps chauds et vivants, de leur laine rude. Ils s'avancent
en pagaille, sans s'occuper de ma présence, s'arrêtent
parfois complètement pour mâchonner, l'air absorbé,
puis repartent au petit trot, poussés par le berger qui les
suit en poussant des cris étranges. Je me retourne pour
les regarder s'éloigner. Où peut bien s'en aller un troupeau de moutons dans la nuit ?

5

Hôtel terminus, Algésiras. Il fait chaud. J'attends le départ du traversier qui m'amènera à
Tanger, de l'autre côté du détroit de Gibraltar.

J'ai fait toute la côte du Portugal en train jusqu'à
Vila Real de Santo Antonio. Traversé en bac un fleuve
dont j'ignore le nom. Pris l'autocar à Ayamonte de
l'autre côté, en Espagne. Quatre ou cinq heures de car
pour franchir cent cinquante kilomètres.

De l'autre côté de la frontière, les gens paraissaient
plus sympathiques, plus souriants. À Séville, il pleuvait,
mais l'air était étonnamment doux. Petite pluie légère,
petite pluie d'été. J'ai cherché un hôtel et je me suis perdu
dans de petites rues toutes semblables. Je me sentais
sale, avec mes cheveux gras, mes jeans mouillés. Finalement, j'ai abouti dans une chambre trop chère pour ce
qu'elle valait et j'ai dormi quatorze heures d'affilée. J'ai

rêvé que j'étais revenu à Montréal et que je faisais l'amour avec une fille qui s'appelait Joie.

Le lendemain, j'ai passé ce qui restait de l'avant-midi au lit, à lire, à écrire. J'étais bien, heureux, je savais que tout cela ne durerait pas et j'étirais ces moments paisibles aussi longtemps que je le pouvais. Puis je me suis habillé, j'ai fait le tour de la place d'Espagne, visité la Giralda, marché dans des jardins magnifiques. Les filles étaient jolies, il y avait de la musique un peu partout et, malgré le ciel gris, tout me paraissait plus joyeux, plus moderne, plus vivant qu'au Portugal. Une manifestation d'étudiants prenait fin, Plaza Nueva. On scandait des slogans sur des rythmes entraînants. Sur les trottoirs et dans les rues, les oranges bien mûres qui avaient servi de projectiles laissaient des traces juteuses.

Pour atteindre Algésiras, l'autocar a fait un long détour par Malaga et Torremolinos, où je me suis arrêté pour la nuit. Un choc violent. Discothèques, pizzerias, clubs de nuit, musique disco et la plage bordée d'une rangée de gratte-ciel. Partout le long des rues, des affichettes d'une ligne aérienne annonçaient *New York/ Malaga daily*. J'aurais pu être ici le lendemain de mon départ de Montréal... Finalement j'ai passé la soirée à boire avec des Hollandais, des Américains, des Espagnols. Le lendemain matin, j'ai quitté cette ville au plus vite, avant de me remettre à aimer ça. Une espèce d'oiseau de nuit au teint pâle, habillé de noir, buvait un dernier cognac au bar de l'hôtel, pendant que le soleil se levait. Aussitôt mon petit-déjeuner *egg and bacon* terminé, j'ai pris l'autocar pour Algésiras.

◈

J'aime bien l'Hôtel Terminus. C'est un hôtel ancien, plutôt décrépit. Il est construit autour d'une cour intérieure avec, à chaque étage, une galerie qui en fait le tour et donne accès aux chambres. Au rez-de-chaussée, il y a une sorte de terrasse : trois tables et quelques chaises, quelques plantes vertes dans des pots. Une verrière teintée la protège des intempéries et du soleil trop violent de midi. Le sol est recouvert de carreaux noirs et blancs. Dans un coin, une fontaine, simple tuyau sortant du mur par la gueule d'un lion de pierre qui rejette l'eau dans une vasque avec un bruit doux. Au fond, un vieux bar en bois sombre se cache derrière des fougères. Il y fait toujours un peu frais. Je vais m'asseoir là, le matin pour prendre un café, l'après-midi pour une bière, le soir pour un dernier drink.

Le réceptionniste fait office de barman. Il est sympathique et me sert avec beaucoup de gentillesse. Parfois, s'il est occupé, c'est le patron lui-même qui vient le remplacer. Très affable, en complet-veston et cravate, il me salue aimablement. Il a toujours un verre à la main et il n'est jamais saoul. Je le soupçonne de brasser des affaires louches. Je l'aperçois souvent à une table en retrait, parlant à voix basse avec des individus aux allures inquiétantes. Le genre de types qui vous regardent droit dans les yeux et caressent dans leur poche la crosse de leur revolver. Tout le monde le sait : Algésiras est une plaque tournante du trafic de la drogue. Depuis mon arrivée, je me suis fait offrir du haschisch plusieurs fois dans la rue.

Ma chambre, au troisième étage, est parfaite, grande comme un salon. L'absence de mobilier la fait paraître plus grande encore. Dans un coin, il y a un lit en métal. Le matelas est un peu mou, le sommier un peu avachi, mais je dors bien. Sur le mur opposé, une commode. C'est tout. Les murs sont lézardés, peints en jaune jusqu'à mi-hauteur, en blanc dans la partie supérieure. Une suspension électrique, ancienne, à cinq branches, pend du plafond. La fenêtre donne sur la vieille ville. On se croirait dans un décor de film d'espionnage.

Je ne fais rien. Je lis, je me promène dans les environs, je reviens prendre une bière à l'hôtel. J'ai fait cirer mes souliers, ceux qui me font mal aux pieds. J'ai aussi fait couper mes cheveux. Je me nourris de hot-dogs et de frites.

Parfois j'entre dans un café pour boire un verre de vin rouge. Je parle avec des gens que je rencontre ici et là. Hier, j'ai passé trois heures avec un Italien qui possède un voilier et qui m'a dit beaucoup de mal du Maroc. En fait, j'ai un peu l'impression qu'aller au Maroc et ne pas être attaqué, assommé, dévalisé ou assassiné constitue une exception. Presque un voyage manqué.

◈

Le livre que je n'arrive pas à écrire me hante. Je prends consciencieusement des notes chaque jour dans mon calepin noir. Petit à petit, ça tourne à l'obsession. Accoudé au bar ou assis à une table de la terrasse, je lis, je réfléchis. Quand tout cela sera du passé, comment en parlerai-je, qu'est-ce que j'en penserai, qu'est-ce que j'en dirai ? Que restera-t-il de tous ces petits moments sans conséquences, de ces conversations anodines, de ces images sans durée, de ce présent déjà englouti par le temps, de ce présent jamais présent, aussitôt transformé en mémoire, de cette mémoire oublieuse qui choisit ce qu'elle garde et ce qu'elle rejette, qui transforme, enjolive, idéalise, altère, travestit ? Dans un mois, dans un an, dans dix ans, dans vingt ans, quand j'aurai changé, quand je me remémorerai tout cela, que restera-t-il à en dire ?

◈

Le lendemain, il fait un soleil magnifique. J'attends le traversier au bord du quai, mon sac posé à mes pieds. Je regarde les autos, les camions, les autobus s'extraire des caves du bateau. Les grues qui transbordent les marchandises. Tout est plein de mouvements, de couleurs, de cris.

Au moment du départ, je croise deux Canadiens anglais. Ils sont faciles à reconnaître avec leur manie de coudre le petit unifolié rouge et blanc sur leur sac à dos, comme si la feuille d'érable était un équivalent de la Croix-Rouge. Ils débarquent du traversier qui arrive de Tanger et où je vais monter à mon tour. Je les salue. Ils ont l'air complètement paniqués. Ils n'ont passé qu'une journée au Maroc. Ils se sont fait voler leur argent à la pointe du couteau par des policiers. C'étaient de faux policiers, mais les vrais policiers, auprès de qui ils sont allés porter plainte, ne valaient guère mieux. Crime suprême, ils ne parlaient même pas anglais. On ne peut faire confiance à personne dans ce pays. Ils tiennent absolument à me mettre en garde : « *All you've heard is true, and worse.* C'est un pays de menteurs, de voleurs, d'escrocs. N'y va pas. *Don't go there.* »

Ils me regardent embarquer d'un air catastrophé, mon sac en bandoulière, comme si je m'en allais vers une mort certaine.

Achevé d'imprimer en mars 2005
sur les presses de Transcontinental Impression
division Gagné, Louiseville (Québec).